どうする！
外国人の子ども

企画・監修／㈱チャイルド社 出版・セミナー部
編著／松本叔子

PROLOGUE はじめに

近年、外国人登録者数は増加傾向にあり、平成9年頃には135万人といわれたその数も今や約280万人を数え、日本の人口の50人に1人は外国人という状況となりました。

日本国内の0～6歳の外国人乳幼児も増え続けており、園においても外国人の子どもが入園してくるケースが増えてきました。法務省の「在留外国人統計」によると、0～6歳の外国人乳幼児は2019年6月時点で約12万7千人と、5年前と比べて約3割増加しています。しかし、通園する外国人の子どもの人数などは国も把握しておらず、対応は自治体など現場に委ねられているのが現状です。

令和元年６月18日、『外国人材の受入れ・共生のための総合的対応策の充実について』という取り決めが、『外国人材の受入れ・共生に関する関係閣僚会議』において決定され、その中で『保育所保育指針等における、外国籍の子どもへの配慮や保育所等から小学校への切れ目のない支援について、地方公共団体に改めて周知を行い外国籍家庭などに対する適切な支援が行われるよう要請する』こととされました。

幼稚園、保育所、認定こども園等における外国人の子ども等の受入れや保護者への配慮、就学に際しての教育・保育から小学校教育への円滑な接続等に関する切れ目のない支援について、園では今後、外国人乳幼児がこれまで以上に増加していく、ということを前提として準備を進める必要があります。

外国人乳幼児の教育・保育において、保育者はどういった事柄を知っておくべきなのか。本書では、在留外国人の増加の現状を把握し、外国人乳幼児とその保護者への対応、対策、支援のためのポイントなど、保育現場で必要となってくるであろう基本的知識について、ひとつずつ読み解いていきます。また、外国の文化についても触れていきますので、今後の保育の参考になれば幸いです。

CONTENTS 目次

PROLOGUE　はじめに 2

CHAPTER 1　外国人の保護者

1　不安な保護者 6
2　外国人の保護者が抱える壁と保育者の対応 8
①言葉や表現の壁 8
②考え方や環境の壁 9
③食べ物の壁 10
④金銭感覚の壁 12
⑤宗教の壁 14
⑥周囲との壁 16
3　最も大切な入園時 19

CHAPTER 2　園での具体的対応

1　言葉や表現の問題 28
①緊急性の高い内容 32
②細かな説明が必要な問題 34
③少しづつ理解してもらいたい問題 36
2　文化の問題 38
3　宗教の問題 42
4　保護者同士のコミュニケーション 46
5　具体的対応事例 48

CHAPTER 3  外国人増加傾向の現状

1　在留外国人の内訳 …… 57
2　在留外国人の子どもが通園するまで …… 60
①在留資格とは …… 60
②ビザ（査証） …… 60
③ビザの種類：活動類型資格と地位等類型資格 …… 62
④在留資格とビザの違い、上陸審査とは？ …… 62
⑤在留カード …… 64
⑥住民基本台帳登録 …… 68
⑦保育料 …… 70

DOWNLOAD 書式集ダウンロード

書式集ダウンロード …… 71

POSTSCRIPT あとがき

あとがき …… 74

CHAPTER 1 外国人の保護者

1 不安な保護者

日本の保育施設に子どもを預ける外国人の保護者の中でも特に、滞在して間もない保護者は生活全般についてわからないことや戸惑いが多く、毎日大きな不安を抱えて過ごしています。乳幼児期に母国を離れることで子どもにどのような影響があるのか、日本の保育園や幼稚園、こども園にうまく馴染んでいけるのか、また、日本人の保護者と同様に、子どもをこの先どのように育てていけばよいだろうかという、誰もが抱える子育てに対する不安もあり、外国人の保護者は人一倍不安に陥りやすい状況にあります。父母のどちらかが日本人である場合には家族からの助言を受けることができますが、両親とも外国人の場合はより理解が難しくなります。今後日本に永住するのか数年後に母国へ帰るかによっても考え方や不安は異なってきます。

保育者は、外国人の保護者の環境にも気を付けて、保育や支援をしていかなければなりません。この問題への対処は、相手に対する思いやりと譲り合い、そして、「当たり前」という概念を断ち切ることが一番大切です。

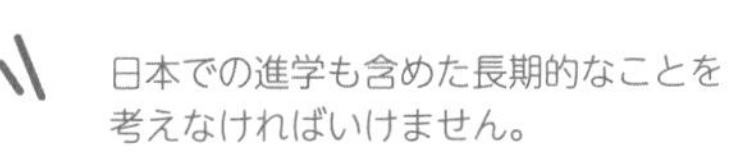

日本での進学も含めた長期的なことを
考えなければいけません。

母国に帰ってからのことも考慮して
考えなければなりません。

2　外国人の保護者が抱える壁と保育者の対応

1. 言葉や表現の壁

言葉や表現の壁を完全に乗り越えるには、かなりの努力と年数が必要です。どちらかが相手の母国語を完璧に話せても「言葉による細かな感情表現や、複雑な事を完全に理解し合う」のはとても難しいことです。

母国以外の国で、何の問題もなく日常会話が成り立つようになるには、移住してからかなりの年月が必要です。移住するまで母国語以外の言語を勉強したこともなく、辞書を片手に過ごしている保護者が大半かと思います。

また、日本人特有の「相手の思っていることを感じ取って行動に移す」ということは、外国人の方の感覚にはありません。ストレートに直接物を言わないと理解してもらえないことが多く、逆に外国人の方から驚くほどストレートな物の言い方をされて驚くこともあると思います。

何かして欲しいことや伝えたいことがあるならば、声に出して言わない限り通じ合えません。相手から何かストレートに言われてその度に落ち込んでいては、精神的に参ってしまいます。外国人の方とは文化や感覚が違うことを認識し、折れない心と図太さを兼ね備えて、やっと向き合えるということもあります。

日本人同士だと必要のない「言葉の壁」はかなり高く、外国人の人にとっても日本人からしても、乗り越えるには努力と忍耐、年月が必要になります。
「伝えたいことを伝える」ということを忘れずに、接するようにしましょう。

2.考え方や環境の壁

日本人同士でも物事の考え方が合致する人や価値観の合う人を見つけるのはむずかしいことです。まして生まれた国や育った環境が全く違う外国人と、考え方を完全に合致させることは不可能です。

例えば、男尊女卑の宗教・国の考え方で育った人に「男女平等に送り迎えをしてください」と言っても無理ですし、母親を本当に大切にするように教育された人に、「姑ではなく子どもを優先してください」と言っても無理があります。また逆もしかり、感情を表に出さないことが大人と教育されてきた私たちに「これからは誰が相手でも思ったことをその場で直接言ってください」と言われても難しい問題です。
「私の悩みを分かってもらえない」と考える外国人の保護者に対して、「分かってあげたくても、分かってあげられない」ことが沢山あります。

根本的な考え方や環境の違いを受け入れ、「仕方ないか～」と軽く受け流すことも大切です。

3. 食べ物の壁

食事のことは、国籍や個人によっても違うので、大きな壁ではない人もいるかもしれません。私たち日本人が大好きなお刺身や納豆も、外国の方が好んで食べるという保証はありません。

私たち日本人はお米を主食にしますが、パスタやパンが主食の国の人にとっては、大きな壁となっている場合もあります。宗教によって牛肉や豚肉を食べてはいけない人もいますし、逆に昆虫を食べる習慣のある国の人もいます。

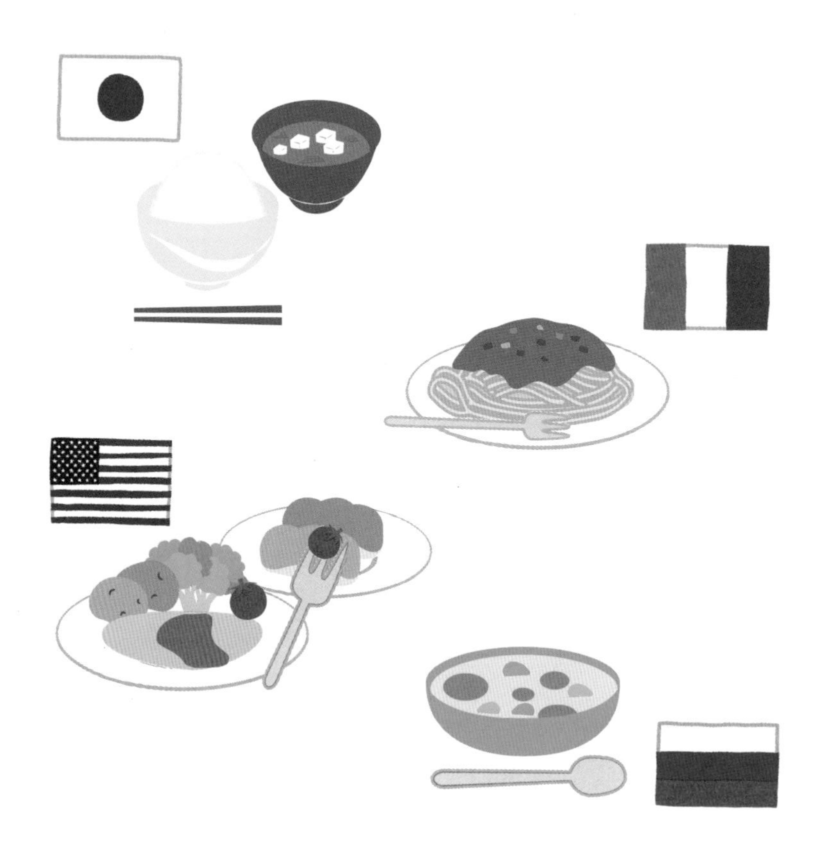

////////////////////　テーブルマナーの違い　////////////////////

1.フォークで食べ物を口に入れてはいけない(タイ)

タイではフォークで直接食べ物を口に運んではいけません。フォークは食べ物をスプーンの中に入れて食べるために使うもので、直接口に運ぶものではないからです。これは日本で言うところの、菜ばしを使って食べるような感覚と考えられます。また、タイ北部の伝統的な食事をしている地域では今でも「手で食べる」のが主流です。

2.左手を使ってはいけない(中東、インド、アフリカの一部)

ヒンドゥー教では左手は不浄の手とされているため、食事はすべて右手で食べるのが流儀。インド社会にはケガレの概念が根付いているため、排便には左手を使って洗う習慣があるそうです。食事のみでなく、ものの受け渡しや握手は右手でするのがマナー。しかし、食べ物を口に運んだ右手は唾液がつき、さらに不浄とされ、調味料などテーブルのものをとるときは左手を使います。

3.フライドポテトでも手で食べたらいけない(チリ)

チリではどんな食べ物でもフォークとナイフで食べなければならない習慣があります。フライドポテトでもフォークで1本1本とって食べます。

4.器は持ち上げずに食事をしなければならない(韓国)

韓国では、食事をする際に、器を持ち上げて食事してはいけません。その他にも、大勢で食事をする際には直箸でつまみ、そのまま口に入れます。取り箸を使ったり逆さ箸にしたりする文化はありません。また、食事をするときにはあぐらか立膝で食べます。

5.少し残すのがマナー(中国)

日本では、食事はきれいに全部食べることが良しとされ、「おいしかった」という意味を表しますが、中国では全部食べてしまうと「食事が足らなかった」ことを意味します。そのため食事は少し残すよう、教育される家庭があります。

その他、ナイジェリアでは子どもが卵を食べると泥棒になると信じられていますし、ジャマイカではまだ話せない子どもに鶏肉を食べさせると一生話せなくなると信じられています。

4. 金銭感覚の壁

私たち日本人の金銭感覚と、外国人との金銭感覚は全く違います。これは外国の方の国籍によって経済状況も異なるので一概には言えませんが、一般的な日本人の金銭感覚は高すぎるということは覚えておいていただきたい事実です。日本では職や年齢にもよりますが、月収20万円〜が平均値ですが、海外では月収数万円の国がはるかに多いのが実状です。

G20に入っているような国でも平均月収は約8万円で、近年ではインフレの影響もあり国公立の教師の月収は6万円以下が現状……。私たち日本人からする“たかが数千円”は、外国人からすると私たちの“うん十万円”の感覚になることもあります。こんなにも金銭感覚が違うのに「子どもに毎月洋服代に数万円使った」という日本人の保護者もいるでしょう。子どもに対して「ケチな親」ではなく、もしかしたらその数万円があれば外国の方の国では一家が数週間食べられるのかもしれません。

「日本ではこれが当たり前」という概念を捨て、外国人の保護者の立場に金銭感覚をすり合わせることも大切です。

////////////////////// 平均年収ランキング //////////////////////

(1ドル=110円 参考:World Data.info 2018年)

1	モナコ	¥20,468,800	27	ニュージーランド	¥4,470,400	53	タイ	¥727,100
2	リヒテンシュタイン	¥12,807,300	28	イタリア	¥3,710,300	54	ペルー	¥711,700
3	バミューダ	¥11,675,400	29	韓国	¥3,366,000	55	セルビア	¥702,900
4	スイス	¥9,285,100	30	スペイン	¥3,227,400	56	コロンビア	¥679,800
5	ノルウェー	¥8,867,100	31	ポルトガル	¥2,418,900	57	エクアドル	¥672,100
6	マカオ	¥8,702,100	32	サウジアラビア	¥2,376,000	58	南アフリカ	¥632,500
7	ルクセンブルク	¥7,795,700	33	チェコ	¥2,226,400	59	イラン	¥601,700
8	アイスランド	¥7,475,600	34	ギリシャ	¥2,174,700	60	アルバニア	¥534,600
9	アメリカ	¥6,938,800	35	ラトビア	¥1,816,100	61	スリランカ	¥446,600
10	アイルランド	¥6,752,900	36	ハンガリー	¥1,625,800	62	インドネシア	¥422,400
11	デンマーク	¥6,615,400	37	チリ	¥1,613,700	63	フィリピン	¥421,300
12	シンガポール	¥6,464,700	38	ポーランド	¥1,551,000	64	モロッコ	¥339,900
13	スウェーデン	¥6,103,900	39	クロアチア	¥1,540,000	65	エジプト	¥308,000
14	オーストラリア	¥5,855,300	40	ベネズエラ	¥1,438,800	66	ウクライナ	¥292,600
15	オランダ	¥5,638,600	41	アルゼンチン	¥1,362,900	67	ベトナム	¥259,600
16	香港	¥5,533,000	42	コスタリカ	¥1,267,200	68	インド	¥222,200
17	オーストリア	¥5,424,100	43	ルーマニア	¥1,241,900	69	ナイジェリア	¥215,600
18	フィンランド	¥5,310,800	44	マレーシア	¥1,164,900	70	バングラデシュ	¥192,500
19	ドイツ	¥5,179,900	45	トルコ	¥1,146,200	71	ケニア	¥178,200
20	ベルギー	¥5,050,100	46	ロシア	¥1,125,300	72	パキスタン	¥174,900
21	カナダ	¥4,943,400	47	中国	¥1,040,600	73	カンボジア	¥152,900
22	イギリス	¥4,594,700	48	メキシコ	¥1,009,800	74	エチオピア	¥86,900
23	日本	¥4,544,100	49	ブラジル	¥1,005,400	75	アフガニスタン	¥60,500
24	フランス	¥4,518,800	50	ブルガリア	¥974,600	76	マダガスカル	¥56,100
25	イスラエル	¥4,501,200	51	カザフスタン	¥887,700	77	コンゴ民主共和国	¥53,900
26	アラブ首長国連邦	¥4,496,800	52	赤道ギニア	¥752,400			

5.宗教の壁

私たち日本人はほぼ無宗教といっても過言ではないほど、仏教ベースの神仏混合です。中には信心深い方もいらっしゃると思いますが、ほとんどの方は神様仏様はお正月やお祭り等の季節のイベントにのみ登場し、冠婚葬祭で家の宗派を守る程度だと思います。しかし外国人の場合には何かと宗教が深く関わってきます。

世界で一番宗徒の多いキリスト教も幾つかの宗派があり、考え方も全く違います。キリスト教や仏教の他にも、世界には悪魔崇拝をする宗教もありますし、21世紀の現代でも女性を”男性の所有物”として捉える宗教もあります。

私たち日本人にはあまりなじみのない宗教は、外国の方にとってはとても真剣なもの。お正月に神社参りをして、お葬式は仏式、結婚式はドレスでキリスト様の前でというのが普通の私たち日本人とは、根本から概念が異なります。

////////////////////////// 結婚後の名前 //////////////////////////

ケース1　日本名そのまま

国際結婚の場合、ふつうに婚姻届を出して、他に手続きをしなければ、夫婦の名字は別々になります。つまり、「松本花子」さんの名前もジョージ・スミスさんの名前も、そのまま変わらないということですね。

ただ、パスポートには、かっこ内に外国人パートナーの苗字をつけることもできます。

例えば松本花子さんの場合、
姓：MATSUMOTO（SMITH）
名：HANAKO
という形です。

ケース2　名字を変える

名字を外国名に変えたい時は、結婚後6か月以内に、市区町村役所に届け出が必要です。必要な書類は「外国人との婚姻による氏の変更届け」となります。

手続き後は、「松本 花子」さんは戸籍上「スミス 花子」となり、名字がカタカナで登録されます。

6. 周囲との壁

片方が外国人という夫婦の場合、「外国人と結婚をする」ことに対して、多くの場合に猛烈な両親の反対を受けています。長期間日本に住んでいて結婚する場合は少々話が違うかもしれませんが、それでも多少なりとも親戚との問題のある場合が多いでしょう。中には両親の大反対を押し切り、家出までして国際結婚を押し切った夫婦もたくさんいます。
また、意外だと思われる方も多いと思いますが、友人・知人との壁は結構高く、周りは外国人家族の将来のことを心配してくれている反面、全く悪気なく、グサグサとネガティブな言葉を浴びせたりします。
「旦那様の仕事は大丈夫なの？」「経済的にやっていけてるの？」「本当に大丈夫？私には絶対無理だわ～」

特に親しい保護者や保育者からネガティブなコメントを言われると「本当に大丈夫かな…」と不安になっていきます。

日本で外国の方が頼れる人はパートナーしかいません。身内はもちろん、気のおけない友人もいない人は、相手に自分の全てを託して、慣れるまではとても孤独な生活をしています。ホームシックにかかっていたり、母国の食事が恋しくて、何を食べても満足できない思いをしている方もいます。パートナーが仕事に行っている間、一人でお留守番をしている方もいます。

友人と楽しそうに話しているパートナーを羨ましいと思うことも多々あります。母国と日本との時差が大きく開く国では、友人とのネット電話もままなりません。
パートナーの親族から外国人ということで、嫌な顔をされることがあるかもしれません。実家に帰りたくてもすぐには帰れませんし、身内に不幸があった時も、何もできません。外国人の方たちは、これら全てを少なくとも必ず経験します。

その他にも、言葉の通じない国で生活必需品を買うことすら慣れるまでは本当に大変です。たかだか買い物といっても、買い物の仕方も全然違いますし、調理法も調味料も違います。母国で慣れ親しんだ調味料がなく、慣れない調味料を使って料理をしなければならない。言葉が分からないからスーパーでどこに何があるのか聞くこともできずに長時間店内をさまようといった思いをしています。

そんな不安だらけの生活から、子どもを保育園に入園させてくるのです。

////////////////////// 子どもの国籍 //////////////////////

国籍の扱いについては、それぞれの国によっての立場や対応が千差万別といっていいほど多様です。ハーフの場合は両親の国籍をどちらでも持つあるいは選択することができる「父母両系血統主義」、父親側の血統、国籍を優先とした「父系優先血統主義」、の2つのケースに分けられることが多いようです。

「父母両系血統主義」はアメリカや、日本、韓国、タイ、オランダ、スペイン、イタリア、フィリピン、ノルウェー、スウェーデンなど世界の多くの国で適用されています。

「父系優先血統主義」は主にイスラム教を信仰する国に多いのが特徴で、中東のアラブ首長国連邦、サウジアラビア、イラン、イラク、オマーン、シリア、モロッコ、レバノンやアジアではインドネシアなどが適用しています。

また、これらの2つの血統主義に加えて「基本は父母両系血統主義だが、条件付きで出生地主義とする」という国もいくつかあり、イギリス、オーストラリア、ドイツ、フランス、ロシアなどがこれを適用しています。

例えば、カナダ人と日本人の夫婦がオーストラリアの永住権を持ち住んでいて、子どもが生まれた場合、子どもには両親のカナダと日本の国籍、さらにはオーストラリアの国籍も取得することが可能になります。国や地域によって国籍に対する考え方や扱い方は本当にさまざまです。

※ハーフの子どもは親が放棄しない限り、両親のそれぞれの国籍を持つことができる、「二重国籍者」となります。
※二重国籍者への対応は国によって違うので、在住する国及び国籍を所持する国の大使館や領事館などで正確な情報を入手し、手続きする必要がありますが、日本では成人の二重国籍の保持が認められていないため、遅くとも22歳までに国籍の選択をしなくてはいけません。

※最終的には自分の育った国の国籍を選択するケースが多いようです。ハーフの国籍をめぐっては、小さいうちは親が手続きや管理を行い、成長とともに本人の意思を尊重して選択させる方法が多くみられます。

3 最も大切な入園時

外国人の保護者は、園に子どもを預けても大丈夫か、言語の問題、文化や宗教の問題についても理解してくれるかどうか、とても不安に思っています。

園の方でも、外国人の家族がどのような言語を話し、日本語レベルがどれほどなのか、日本のことについてどれくらい理解しているのか、また、どのような信仰をもっていて、園の行事への理解を得られるのかどうか、言語や文化による疑問がたくさんあります。これらの疑問を解消するため、また入園後にトラブルになるのを防ぐためにも入園時の話し合いはとても重要です。

園の方針、一日の流れや毎日の持ち物とその必要性、毎日の食事について、園の行事やその時期などについて、入園時にしっかりと理解を深めることは、今後外国籍乳幼児を受け入れるにあたって最も重要な事項と言えます。

入園時には、入園のしおりをお渡しし、園の方針や決まり事を説明します。言語は国によってまちまちですが、英語で表記のあるものの方が望ましいです。日本語の表記自体を理解できない保護者もおり、ご自身で意味を検索しようとしてもインターネットの検索すら出来ない状態となってしまいます。英語表記が付いていると、保護者は単語を検索しやすいので、英訳のついている入園のしおりを用意するのが望ましいでしょう。

個人調査票を利用して、家族構成や食事のことをお聞きして理解を深めます。また、登園における調査票も記入してもらい、登降園がスムーズにいくよう心がけることも大切です。入園時には連絡カードもお渡しし、何かあったら必ず園に提出していただくよう伝えましょう。

入園時に最低限確認しておきたい事項を次ページより掲載していきます。掲載するテンプレートは㈱チャイルド社ホームページよりダウンロードできるようになっていますので、ぜひご活用ください。ダウンロード方法や詳しい利用方法については本書P71ページに記載していますので、ご覧ください。

入園のしおり

Congratulations! 入園が決まりました！おめでとうございます！

Your child has been accepted into nursery school!

The definition of a nursury school is that it is a place where children whose parents are working or whose parents are under situations that unables them from taking care of their child or children at their own homes, are nursed by childcare specialists.

We strive to make children's everyday life safe and enjoyable, and take utmost care to their healthy well being. Japanese habits and ways of nurturing young ones might come as a surprise to you when parents originate from different cultural backgrounds.

However our childcarers' hearts are always at the best interest of the children. We ask each parents' understanding and cooperation while we guide your children to quickly adapt to the new environment, making friends and enjoying the nursury school life.

保育園は、保護者が働いていたり、色々な保護者の事情により家庭で育児ができない乳幼児を保護者に代わって保育する場所です。

私たちは、子供たちが毎日、安全で楽しい生活ができるよう、また健やかに心身が発達するように努めています。

ご両親のご出身国と日本の生活習慣には、異なる部分も多く、育児の方法にも違いがあるかもしれませんが、保育者は子どもたちの事を日々考え、大切に保育いたします。
お子さまが保育園での生活に早く慣れて、お友達と楽しく過ごせるよう、保護者の方のご理解とご協力をお願いいたします。

1. Nursery Shool Hours 保育時間

Weekdays : From______:______a.m. to______:______p.m.
平　日 : 午前　時　分 ～ 午後　時　分

Saturdays : From______:______a.m. to______:______p.m.
土　曜 : 午前　時　分 ～ 午後　時　分

2. Closed 休園日

Sundays,national holidays, Year-End/New Year holidays,etc.
日曜日、国民の祝日、年末年始、その他

(Month______Date______to Month______Date______)
(　月　日 ～　月　日)

3. Nursery Shool Fees 保育料金

Please pay the monthly childcare fee by the specified date.

毎月の保育料は、必ず決められた日までに納入してください。

4. Dayly Life at Nursery Shool 日常生活

(1) Arriving and Leaving

a.) Parents are responsible for picking up their children.

a.) 保護者の方は、責任をもってお子様の送り迎えをしてください。

b.) If you are not a parent, please contact the nursery school before you pick up your child.

b.) 保護者の方以外が、お子様の送り迎えするときは、必ず園へ事前にご連絡ください。

c.) If you are late for pick-up, or your children are late or absent, please contact the nursery school in advance.

c.) お迎え時間が遅れる場合、遅刻や欠席をする場合には、必ず園へ事前にご連絡ください。

d.) If you are warned of a typhoon or other storm, flood, snow, or earthquake before you go to the nursery school, please stay at home with your children.

If a warning is announced after your children' s arrival, please picked up them as soon as possible.

d.) もし、登園前に台風などによる暴風・洪水・積雪・地震などの警告が発表された時は、お子様と一緒に家にいてください。
登園後に警告が発表された場合は、できるだけ早くお迎えにきてください。

(2) School Lunch 給食

For children under 3 years old, we offer main dishes, side dishes and snacks.

3歳未満のお子様には、主菜、副菜、おやつを提供しています。

Children over 3 years of age will be served side dishes and snacks. Prepare the main dish at home and bring it with you. (The monthly fee is ____________ for the main dish of school lunch.)

3歳以上のお子様には、副菜とおやつを提供します。主菜はご家庭で用意し、持参してください。
(給食の主菜の場合、月額料金は __________ です。)

(3) Other Matters　その他の事項

a.) If there is a change in your home address or parent's work address, be sure to notify the nursery school in writing.

a.) ご家庭の住所や保護者の勤務先住所に変更があった場合は、必ず園に書面で通知してください。

b.) Write names on all the children's clothing and belongings.

b.) お子様の衣類や持ち物には全て名前を書いてください。

c.) The nursery school performs regular evacuation drills and health measurements (height and weight).

c.) 園では定期的な避難訓練と健康測定(身長と体重)を行います。

5. Health Management　健康管理

(1) If your child is sick, please take care of your child at home until it is completely cured.

(1) お子様が病気の時は、完治するまでご自宅で看病してください。

(2) If your child has contracted an infectious disease, please take care of your child at home until your doctor gives you permission to keep other children safe.

(2) お子様が伝染病にかかった場合、他のお子様の安全確保のため、医師から登園許可が出るまでご自宅にて看病してください。

(3) If your child becomes ill after going to the nursery school, please come to pick him/her up as soon as you are contacted.

(3) 登園後にお子様が病気になった場合、連絡を受けたらすぐにお迎えに来てください。

(4) The nursery school cannot be held responsible for medication for children.
(If it is absolutely necessary to manage the medicine in the nursery school, ask your GP about the purpose of the medication, the appropriate administration method and dosage,then consult the kindergarten.

(4) 園では、お子様への投薬に関する責任を負うことが出来ません。(どうしても園で薬を管理することが必要な場合は、かかりつけ医から投薬の目的・適切な投与方法･投与量の記載された書面をもらい、園へ相談してください。

(5) Your child should be immunized against as many illnesses designated by the authorities as possible.

(5) お子様のために､日本国が推奨するできるだけ多くの病気に対しての予防接種を受けてください。

(6) An aggiliated physician conducts periodic health checkups at the nursery school.

(6) 園では、所属医師による定期健康診断が実施されます。

個人調査票

(child' s name) 氏名	(male) □男	(female) □女	(date of birth) 生年月日 ＿＿年 (year) ＿月 (month) ＿日 (date)
(address) 住所			(telephone number) 電話番号
(national origin) 出身国	(parent' s(guardian' s)name) 保護者氏名		(relationship to child) 続柄

(names of family members) 家族氏名					
(relationship to child) 続柄					
(date of birth) 生年月日					
(occupation) 職業					
(telephone number of place of employment/school) 勤務先・通学先電話番号					
(japanese language speaking ability) 日本語の会話	□Yes □No	□Yes □No	□Yes □No	□Yes □No	□Yes □No

(health insurance name) 保険証	(national health insurance number) □国民健康保険番号（　　　　）	(social insurance number) □社会保険番号（　　　　）

(date of arrival to japan) 来日時期（履歴も含む）	【初 来 日】
	【二 回 目】
	【三 回 目】
(learning Japanese) 日本語学習	【学習歴の有無】
	【学 習 期 間】
	【学 習 機 関】
(linguistic ability of Japanese) 日本語力	【読む・書く・聞く・話す】
	【文字（平仮名・カタカナ・漢字）】
	【文法】
	【その他】
(speaking language) 話す言語	【母 国 語】
	【使用可能な言語】
	【家庭での使用言語】
(education and learning status received before coming to Japan) 来日前に受けた教育や学習状況	【母国での最終学歴】
	【母 国 で の 学 期】
(nursery school status before coming to Japan) 来日前の保育園の状況	【種 類】
	【園 児 数】
	【通 園 時 間】
(home environment before coming to Japan) 来日前の家庭環境	【同 居 家 族】
	【そ の 他】

個人調査票

abnormalities duringpregnancy (mother) 妊娠中の状態 （母親）	妊娠中の主な異常 (abnormalities during pregnancy) □妊娠中毒症 (toxemia)　□貧血 (anemia) □感染症 (contagious diseases)　□その他 (other)
	妊娠中の生活 (daily life pregnancy) □喫煙していた (smoked cigarettes/day)　□お酒をよく飲んでいた (drank) □働いていた (worked)
childbirth conditions (mother) 出産の状態（母親）	出産した国 (country of childbirth) □日本 (japan)　□日本以外 (other)
	妊娠期間 (length of pregnancy) □_____ 週（予定より______日　早い　・　遅い　） ((　　　)weeks(　　　　)days before　/　after due date) 出産方法 (type of childbirth) □普通の方法 (normal position)　□骨盤位（逆子）(breech position) □帝王切開 (cesrean section)　□その他 (other)
condition at birth (child) 出生時等の状態 （子ども）	出生時の体格 (measurements at birth) □体重　　g(weight(　　　)grams) □身長　　cm(height(　　　)centimeters)
	出生時の異常 (abnormalities/irregularities at childbirth) □なし (normal)　□仮死 (asphyxia) □その他 (other)
	新生児期の異常 (abnormalities/irregularities immediately after birth) □重症の黄疸 (jaundice)　□呼吸障害 (respiratory disability)　□けいれん (convulsions) □感染症 (contagious diseases)　□その他 (other)
conditions after birth (child) 生後の状態 （子ども）	発育状態 (development) □順調 (normal)　□あまりよくない (below average)
	発達状態 (development) □首すわり__カ月 (held head steady when held upright:at(　)months) □独り歩き__カ月 (walked:at(　))months) □始語______カ月 (first words:at(　)months)　□心配なこと (concerns:　　　　)
	入園までの食生活及び栄養法（乳児期）(diet and nutrition during infancy) □母乳栄養 (breastmilk)　□混合栄養 (combination(breastmilk and formula))　□人工栄養 (formula)
	離乳 (weaning) □開始______カ月 (began weaning:at(　)months)　終了______カ月 (completed:at(　)months)) □進行状況 (progress)（　良い (good)　・　普通 (average)　・　困難 (difficult)　）
	入園までの食生活及び栄養用（幼児期）(diet and nutrition during early childhood) □食欲 (appetite)（　良い (good)　・　悪い (not good)） □好き嫌い (preferences)（　あり (very picky)　・　なし (not picky)　）
	食べさせていないもの (foods not given to child)（□宗教 (for religious reasons)　□アレルギー (allergy)） □牛肉 (beef)　□豚肉 (pork)　□鶏肉 (chicken) □魚 (fish)　□卵 (eggs)　□牛乳 (milk)
	宗教上のことなどで禁忌とされていること (Being contraindicated by religion etc.) □

個人調査票

生後の状態（子ども）(conditions after birth (child))	これまでにかかった主な病気とその時期 (medical history-record of childhood Illnesses) □はしか ____ 歳 ____ ヶ月 (measles ____years___months) □水疱瘡 ____ 歳 ____ ヶ月 (chicken pox ____years___months) □おたふくかぜ ____ 歳 ____ ヶ月 (mumps ____years___months) □風疹 ____ 歳 ____ ヶ月 (rubella ____years___months) □手足口病 ____ 歳 ____ ヶ月 (hand-foot-mouth disease ____years___months) □伝染性紅斑 ____ 歳 ____ ヶ月 (erythema infectiosum ____years___months) □その他 ____ 歳 ____ ヶ月 (other ____years___months)
	これまでの医療を要した事故傷害 (accidents requiring medical care) □骨折 (bone fracture) □やけど (burns) □切り傷 (cuts) □誤飲 (drank/swallowed foreign substance) □その他 (other)
	体質等 (physical health) □湿疹ができやすい (frequent rashes) □喘息 (asthma) □薬その他アレルギー疾患（ ）(allergies to medicines,other( )) □ひきつけ (convulsions/cramps)（熱あり (with)・熱なし (without fever)） □平熱 (average body temperature)（____度 (degrees)）
	これまでに済ました予防接種とその時期 (immunization record) □ツベルクリン反応 ____ 歳 ____ ヶ月（＋・－）(tuberculin skin test ____years___months) □ＢＣＧ ____ 歳 ____ ヶ月 (BCG____years___months) □ジフテリア ____ 歳 ____ ヶ月 (diphtheria ____years___months) □百箇日 ____ 歳 ____ ヶ月 (whooping cough ____years___months) □破傷風 ____ 歳 ____ ヶ月 (tetanus ____years___months) □ポリオ ____ 歳 ____ ヶ月 (polio ____years___months) □風疹 ____ 歳 ____ ヶ月 (rubella ____years___months) □麻疹 ____ 歳 ____ ヶ月 (measles ____years___months) □流行性耳下 ____ 歳 ____ ヶ月 (mumps ____years___months) □日本脳炎 ____ 歳 ____ ヶ月 (japanese encephalitis ____years___months) □インフルエンザ ____ 歳 ____ ヶ月 (influenza ____years___months) □その他（ ）____ 歳 ____ ヶ月 (other( )____years___months)
かかりつけの医療機関 (main medical facility)	病院名 (name of hospital/clinic)
	所在地 (address)
	連絡先 (telephone number)
面接者の所見	

登降園等調査票

児童氏名 (child's name)			
生年月日 (date of birth)			
住所・電話番号 (address/telephone number)			
勤務先事項	【氏　名 (name)】	父 (father/guardian)	母 (mother/guardian)
	【勤務先(employer)】		
	【勤務先所在地(work address)】		
	【勤務先電話番号 (work telephone number)】		
	【職業(occupation)】		
	【勤務時間(working hours)】		
送迎方法 (transportation method to/from nursery school)			
ご両親以外の連絡先 (emergency contacts)	【氏名(name)】		
	【関係(relationship)】		
	【連絡先(contacts)】		
ご両親以外の連絡先 (お送りしていただく方) (emergency contacts) (take child)	【氏名(name)】		
	【関係(relationship)】		
	【連絡先(contacts)】		
ご両親以外の連絡先 (お迎えに来られる方) (emergency contacts) (pick up child)	【氏名(name)】		
	【関係(relationship)】		
	【連絡先(contacts)】		
備考			

家庭から園への連絡カード
CONTACT CARD

<table>
<tr><td align="right">_____年_____月_____日
(year / month / day)</td></tr>
<tr><td>伝えたいこと (explanation)</td></tr>
<tr><td>【　　】本日園を休みます (Today,i will be absent.)
【　　】本日遅刻します。______ 時ころに登園します。(I will be late.i will attend from__ (time).)
【　　】________時ころに早退します。(I will leave early at__ (time).)
保護者 (________) が迎えに行きます (My guardian will come to pick me up.)
【　　】園の様子を見学させてください (Please allow me to just observe the nursery school)</td></tr>
<tr><td>理由 (Reason)</td></tr>
<tr><td>【　　】風邪をひきました (I have a cold.)
【　　】____________で怪我をしました (I injured. __(place,cause).)
【　　】熱があります (I have a fever.)
【　　】病院へ行きます (I will visit the doctor/hospital.)
【　　】頭痛がします (I have a headache.)
【　　】腹痛があります (I have a stomachache.)
【　　】気分が悪いです (I feels sick.)
【　　】家庭の都合です (I have a personal problem at home.)
【　　】その他 (Other)</td></tr>
<tr><td>クラス名 (class)________________________________
名前 (name)________________________________
記入者 (entrant)________________________________</td></tr>
</table>

///////////////// 家庭から園への連絡カード ////////
CONTACT CARD

_____年_____月_____日
(year / month / day)

園長・保育士への相談（I want to discuss something with the teacher.)

【　　】子どもの教育について (about child's education.)

【　　】わからないことがある (I don't understand something.)

【　　】家庭のこと (about a family issue.)

【　　】転出 (about moving.)

【　　】ことばのこと (about language/words)

【　　】持ち物のこと (about things to bring to school)

【　　】面接・家庭訪問の日時 (about interview・teacher's visit)

【　　】集金について (about money collection)

相談方法と日時（consultation method and time）

【　　】電話をします _____月（month）_______日（day）_______時頃（time）

【　　】園に行きます _____月（month）_______日（day）_______時頃（time）

【　　】通訳の人と一緒です (An interpreter will accompany me.)

【　　】通訳の人はいません (An interpreter won't accompany me)

クラス名 (class)________________________________

名前 (name)________________________________

記入者 (entrant)________________________________

CHAPTER 2 | 園での具体的対応

1 言葉や表現の問題

外国籍乳幼児の受け入れについての大きな問題点のひとつに、保護者が日本語を理解していない、話せないという言語に対するものがあります。

日本語は1億人以上が母国語にしている言語ですが、日本以外ではほとんど話されていないため、移住者にとって大きな障壁となります。日本語はアルファベットのように文字を他の言語と共有していないので、表示の時点でハンデがあるのです。これにより外国人保護者の日本語レベルも、読めるが話せない、日常会話はできるがプリントなどは全く読めない……等、実にさまざまになります。

言葉が通じないことによって、いろいろな問題が生じます。保育者の言葉が理解できないため、入園時の書類の記入方法や園の方針、行事について聞きたくとも聞けず問題に発展する……ということが起こり得るのです。

言語の壁のために園生活での不安を解消できず、日々ネガティブな精神状態で過ごしているのが、外国人の保護者の方たちです。

また子どもの入園後も、外国人の保護者は園での出来事や子どもの様子を保育者から聞くことができません。子どもが自分のことを話せる年齢でない場合、園での様子が全くわからない状態が起きてしまいます。特に困るのは、子どもが怪我をした、発熱した、という緊急性のある時です。園が電話をしてお迎えをお願いしても、保護者はなぜ園にお迎えに行かなければいけないのか理解できないことがあります。また、園だよりやその他の配布物も、文字が読めないので理解できません。重要な記載があっても、内容について気軽に聞ける環境がないと内容を把握することは難しく、提出が必要な書類であっても、どこに何を書けばよいのか、何のための書類なのか、全く理解できないこともあります。

現在、翻訳に関しては様々な機器やアプリが開発されています。ＡＩやツールの発達により、言語の壁を低くすることができています。翻訳機や翻訳カメラといった言語の問題には役立つアイテムが増えていますので、いち早く導入を進めるのが早道かもしれません。

タブレット型通訳機を導入することで、外国人の保護者とのやり取りが劇的に改善する可能性があります。その言語に精通した人を雇い入れたり、個々の保育者がさまざまな言語を勉強するのには限界がありますが、タブレット型通訳サービスを導入すれば、それらの労力やコストをかけることなく他言語対策を有効に行うことができます。また、Googleやその他のアプリでは、無料で翻訳ができるものも沢山あります。正確な翻訳にならないものもありますが、重要なのは正確な文章ではなく、保護者に確実に伝えたい“単語”なので、まずは試してみることをお勧めします。

Point 1

面談の際に利用できる翻訳機を園で用意できている場合には、スムーズに使えるよう、時間を作って、入園後できるだけ早く操作方法を保護者に覚えてもらいましょう。

そうすることで、緊急時にもすぐに対応することができます。

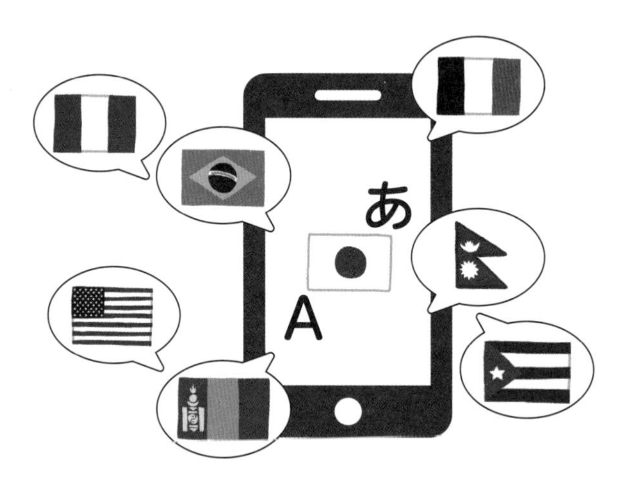

Point 2

外国人の保護者に対しては、メールアドレスを必ず尋ねるようにし、おたよりをメールで送信するのが望ましいです。

すぐに連絡のつくアドレスを聞いておけば、外国人の保護者は確認内容を携帯電話やパソコン上で翻訳することができます。

Point 3

翻訳アプリや、翻訳サービスも、入園時に確認できると良いでしょう。お互いが、今後どのような手段で他言語のやり取りをするのかを話し合っておくことは、とても大切です。

今後、どのような翻訳アプリを使ってやり取りをしていくのか、使用方法についてもお互い理解しておくことが大切です。

word形式やメールでのお便りの場合、文章を翻訳機能のあるアプリ等で翻訳してもらうのが一番間違いが起こりにくいです。

特にword形式の場合は、wordの校閲機能に便利な翻訳機能が付いています。詳しい使用方法については本書P71にて説明を記載していますので、参考にしてみてください。

園からプリントでお知らせする場合には、翻訳読み取りアプリで翻訳してもらうのも便利です。様々な種類のアプリがありますが、無料アプリも多く、スマートフォンのカメラで写したテキストを認識して瞬時に翻訳してくれるので、大変便利です。性能も日々向上しています。

言語の問題については、①緊急を要する内容の場合、②細かい説明が必要な場合、③時間をかけて少しづつ理解を求めなければならない場合の3つに分けて対応する必要があります。それぞれが、とても重要ですので、しっかりと分類して保護者と情報共有できるよう心掛けが必要です。

1. 緊急性の高い内容

外国人保護者との間に言語の壁がある場合、緊急連絡で怪我や病気の詳細を伝えることはたいへん難度が高いです。怪我をした状況の説明や園で行った対処などは、ジェスチャーだけではわかりにくく、出てくる日本語も難しいのでなかなか伝わりません。

ですので、「発熱」「下痢」「嘔吐」「擦り傷」「遊具」「友だちとの接触」「かけっこ」「転倒」など、子どもの怪我や病気関連で使用頻度の高い単語を前もって用意しておき、外国人の保護者の母国語で伝えられるようにしておくことはとても大切です。
また、そもそもの問題として、電話だとジェスチャーを見せることができないので、緊急な案件を理解してもらうのに時間がかかってしまいます。保護者の理解が遅れるとお迎えが遅くなってしまうことになり、対処もできません。

そこで事前に、保育中に電話をするということがどういうことなのか、どのような内容を話す必要があるのか、やり取りする場合の内容や伝え方を共有しておくとよいでしょう。電話の後にメールでやり取りをする等の取り決めを保護者と相談しておくことも大切です。

「急いでお迎えに来てほしい場合」、「1時間以内にお迎えに来てほしい場合」など、より具体的な事項の伝達方法も入園時に決めておき、パターンをいくつか作成して保護者に渡しておくとそれだけで安心してくれます。

また、緊急時には通訳サービス等を利用して説明できるよう、緊急通訳サービスの連絡先を用意しておくのもよいでしょう。

緊急性の高い言語

熱がある
I have a fever

痛い
I have pain

苦しい
I feel shortness of breath

吐いた
I vomited

めまいがする
I feel dizzy

血が出た
I bled

痙攣している
I suffer a convulsion

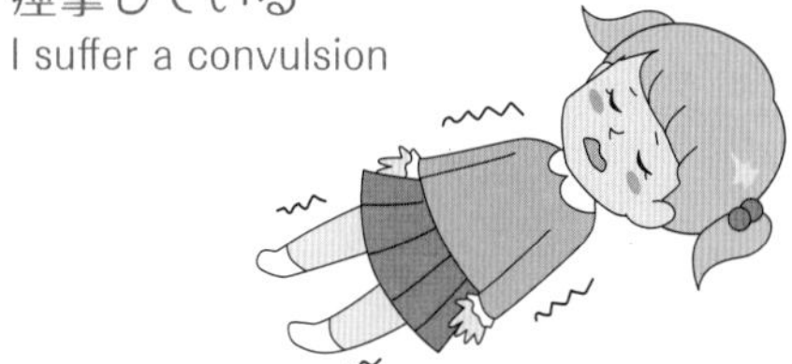

かゆみが止まらない
I feel itchy

体の、この部分です
This part of my body

2. 細かな説明が必要な問題

園での決まり事などは、事前に一覧にして保護者に渡し、理解を深めます。入園にあたっては「園の規則」として、色々な持ち物を用意しなければならない園もあります。まだ日本の生活に慣れていない保護者の場合、その持ち物の必要性や、持っていくべき時期のわからないものもあります。また、持ち物の名前を聞いただけでは何をどう用意してよいのかわからない……という意見もあります。

こんな事例があります。園の遠足の数日前、「遠足の日はお弁当です。お弁当を持ってきてください」と保育者が伝えました。そして当日、出発前にリュックサックの中身を確認したところ……外国人の園児が持ってきたのは、何も詰められていない空の「お弁当箱」でした。つまり一言でお弁当といっても、“お弁当とはそもそも何なのか”が、文化が違うと伝わらないのです。

慣れない国で、ひとりで準備をする外国人の保護者は不安の塊です。だからこそ、どんな準備が必要なのか、保育者がアドバイスできれば、格段に安心できるものなのです。

//////////// 曖昧な表現はわかってもらえません ///////////

日本語の会話表現には、他の言語にない細かいニュアンスを表現する性質があります。内容は同じでも語尾の言い回しだけで、丁寧に聞こえたり、可愛く聞こえたり、凛々しく聞こえたりと、物事の聞こえ方が大きく異ってきます。

また、日本語は主語のない形でも会話が成立し、語尾を「かな」や「だけど」のように曖昧表現にすることも可能です。これにより主語なく“誰が”を明言しなかったり、語尾も、断言をしないことで責任を一手に担うのを避けることもできます。

「空気を読んで察する」ことが会話で大きな役割を担う日本語では、「曖昧表現」も対人関係で大きな鍵を握ります。こうした言い切らない曖昧表現は、英語をはじめとした他言語にも存在します。ただ日本では、国民的な性質として「”保険”をかけて言葉の持つ責任を話し手が一手に負わない」「100%そうであるという自信がないので相手の顔色を伺いながら、曖昧表現にして濁す」こともあり、こういった表現は外国人は理解してくれません。

英語という言語はとても論理的で、単数・複数（“do”,“does”）、冠詞（“The”, “A”）など、日本語にはないルールが多々あり、日本語に比べて”コミュニケーションで生じる誤解の責任”の所在ははっきりしています。「かもしれない」という表現は使わずに、イエス・ノーをはっきり伝えることが求められます。

また、日本のような四季を持つ国も多くはありませんので、「春の感じ」「秋の景色」などの表現も伝わりません。

3. 少しづつ理解してもらいたい問題

お便りに書かれていることが難しく、保護者が理解できないと、毎日の持ち物以外にその時々で持参してほしいものが伝わらず、忘れ物につながってしまうことがあります。お便りは情報が多くなってしまいがちですが、言葉の理解が十分でなければ全く伝わりません。お便りはできるだけ要点を絞り、わかりやすく示すことも大切です。お便り帳に書かれた日本語を読み取って翻訳するアプリもあります。伝達事項をメールで送信することで、翻訳しやすくなることもあります。

普段から、こういったツールの紹介や活用を保護者に促して、日々の園生活での様子を徐々に理解してもらい、コミュニケーションを図ることはとても大切だといえます。

また、自治体によっては通訳者派遣制度や外国人相談員を設けていたり、便利な冊子を作成しているところもあります。たとえば日本保育協会では、「外国人保育の手引き」を作成しており、英語版・中国語版・ポルトガル語版・スペイン語版があります。園への持ち物、園生活における日常会話や、子どもが罹りやすい病名が載っています。

おたよりテンプレート

さくら組　10月の園だより

★☆★ 10月の仲良し目標は「運動会、遠足Kid's大集合!!」★☆★

10月を迎え、子どもたちは運動会の練習に励んでいます。さくら組がスタートして半年が過ぎ、心も体も大きく成長しました。
もうすぐ運動会です。さくら組では運動会で踊るダンスを練習中。
毎日朝と夕方に音楽をかけて、みんなで踊っています。

さくら組 秋のえんそく

日　程:10/16(水)
行き先:〇〇市動物園(雨天中止)
服　装:園のポロシャツ、トレーナー、長ズボン、カラー帽子
持ち物:園外保育セット、おにぎり、水筒
集合時間:歩きの方は、9:30までに登園して下さい。2番バスの方は排泄を済ませてバスにご乗車下さい。

掲示板

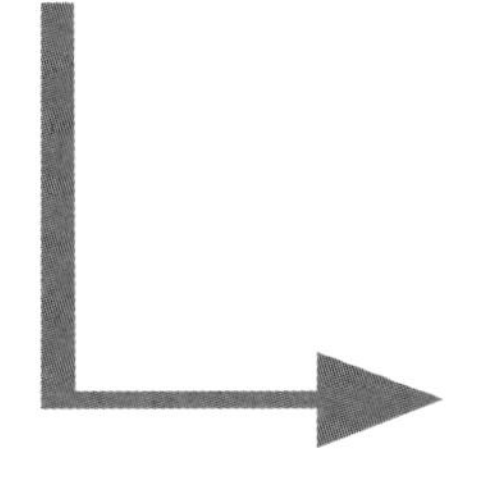

☆体操教室☆
1日、8日、21日、29日

☆英語教室☆
11日、18日

☆まなびタイム☆
3日、10日、17日、24日

えんそく viaggio

日　程:10/16(水)
Orario: 16/10 (mercoledì)

集合時間:9:30までに登園して下さい。
Si prega di entrare nel parco entro le 9:30.

行き先:〇〇市動物園(雨天中止)
Destinazione: 00 City Zoo
(annullato in caso di pioggia)

服　装:トレーナー、長ズボン、カラー帽子
Abbigliamento: Felpa a maniche lunghe, pantaloni lunghi, cappello colorato

持ち物:おべんとう、すいとう、しきもの
Articoli da portare: scatola per il pranzo, borraccia, tappeto

わからないことは〇〇へ聞いてください。
Se non capisci, chiedi 〇〇.

必要なことだけを取り出して伝えるようにしましょう。
服装などは、わかりやすいようにイラストなどで伝えるとよいでしょう。

おたよりもワード(Word)で作って、ワード(Word)の校閲機能で各国語に翻訳してもらうと良いでしょう。
wordの校閲機能については、本書P71を参照願います。

2 文化の問題

互いの文化を尊重し合うことはとても大切です。
しかし、外国人保護者の故郷において"幼児期は○○をするもの"という伝統がある場合、日本の園での過ごし方に疑問を持たれることがあります。
外国人保護者の求めることが、日本の文化としては受け入れられなかったり、園の方針や特色と違うため、その方が自国の文化を日本でも同じようにすべきだと思っても対応できないこともあります。園で過ごす一日の流れや、年間の行事と行事内容を入園時だけではなく、季節ごと・行事ごとにお知らせすることも大切です。特に日本の行事は、海外では馴染みのないものも多いので丁寧な説明が必要な場合もあります。日本の行事の中には、後述する宗教上の理由によるもの等、保護者や子どもにとって譲れない文化もありますが、日本の文化・習慣として受入れられるものもあるでしょう。そのためには、相手の生活習慣を知り、文化を理解・尊重するとともに、日本での文化や園での考えを伝え、日本の生活習慣や文化についても知ってもらうなど、お互いが理解し合っていくことが必要です。

自国の文化を尊重したい気持ちは十分に理解できますが、子どもは日本で暮らすための生活様式を園で学んでいるので、子どもの混乱を避けるためにも日本の文化に沿ってもらいたいことを伝えることが、とても大切です。

また、食事のマナーや生活のルールなどは国によってさまざまです。外国人の保護者の多くは、できるだけ日本の文化に合うように努力をしていますが、保護者自身では気付けない、日本のマナーやルールもたくさんあります。食事前の挨拶、離乳食の完了時期、排せつの自立年齢など、日本における当たり前は外国人の保護者には当たり前ではないこともあります。保育者に注意を受けても理解するのが難しいことがありますので、少しずつ丁寧に説明し、理解してもらう必要があります。

////////////////////// 一日の流れと詳細 ////////////

A Day at Nursery School

登園と健康チェック Arrival and Health check

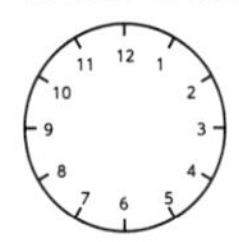

Please go to the kindergarten ___ o’ clock in the morning. After arrived at the park, we will check the child's health by checking the parent's contact book and measuring the body temperature.

朝は___時に登園してください。登園後は、保護者の方からの連絡帳を見たり体温を測ったりしてお子様の健康をチェックします。

午前のおやつ/授乳/離乳食/果汁 Morning Snack/Milk/Baby food/Juice

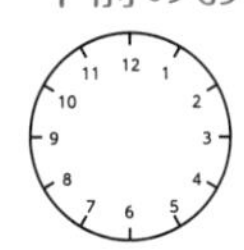

In the morning snack time, we will provide snacks that are appropriate for children’ s age.

午前のおやつの時間には、年齢にあったおやつを提供します。

遊びや活動 Games and Activities

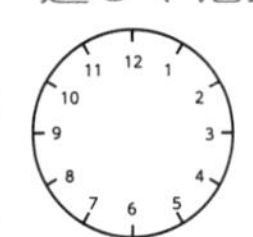

Everyone sings, reads picture books, and goes for a walk.

みんなで歌をうたったり、絵本を読んだり、散歩へ行ったりします。

昼食/授乳/離乳食/果汁 Lunch Time/Milk/Baby food/Juice

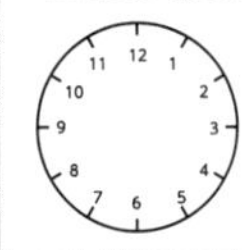

At lunch and snack times, we provide meals that are appropriate for children’ s age.

昼食やおやつの時間には、年齢にあった食事を提供します。

おひるね Nap Time

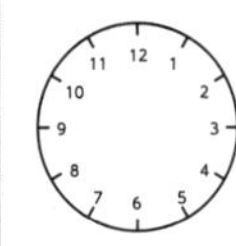

Take a nap for about 2 hours. After the nap is over, children have time for toilet.

2 時間前後のお昼寝をします。お昼寝が終わった後、排せつの時間があります。

午後のおやつ Afternoon Snack

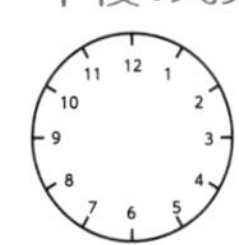

In the afternoon snack time, we will provide snacks that are appropriate for children’ s age.

午前のおやつの時間には、年齢にあったおやつを提供します。

午後の活動 Afternoon activities

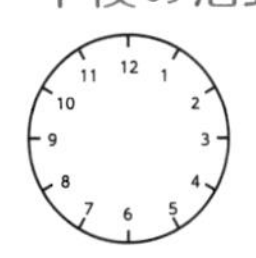

Everyone sings, reads picture books, and goes for a walk.

みんなで歌をうたったり、絵本を読んだり、散歩へ行ったりします。

健康チェックと降園 Leaving Nursery School

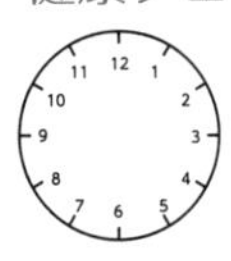

We have an end party. We all say "goodbye" and return home.

終わりの会をします。皆で「さようなら」のご挨拶をして帰ります。

年間行事

Nursery School Events / Main Events

こどもの日　Children' s Day

On Children's Day on May 5, we will adorn helmets and May dolls and raise Koinobori to celebrate the healthy growth of children. There is also a custom of eating Chimaki and Kashiwa Mochi, and children can enjoy playing with friends while eating rice cakes.

5月5日の子どもの日には、飾り兜や五月人形を飾り、こいのぼりを立てて子どもたちの健やかな成長を祝います。
ちまきや柏餅を食べる風習もあり、仲良くお餅を食べながら、お友達と楽しく遊びます。

遠足　School Trip

Friends of other classes will also go out of school together. They will have a fun and unusual day by visiting the community and interacting with nature.

他のクラスのお友達も一緒に園外保育に出かけます。
社会見学をしたり、自然と触れ合ったりして、普段とは違う楽しい一日を過ごします。

七夕　Star Festival

On July 7, children write their wishes in colorful strips. It is a festival in which strips are attached to bamboo and wishes are made upon stars.

7月7日に、色とりどりの短冊に皆の願い事を書きます。
短冊を笹につけてお星さまへ願い事をするお祭りです。

夏祭り　Summer Festival

They all enjoy Bon dance, eat snacks and play games. In hot summer, they can enjoy cool evening and their family can also participate.

皆で盆踊りをしたり、おやつを食べたりゲームをして楽しみます。暑い夏に夕涼みをかねて、ご家族にも参加していただけます。

運動会　A Sports Day

They perform physical education play and expression play that they usually do in the nursery school. Their family will also participate, play games and exercise, and have a fun day.

日頃から園で行っている体育あそびや表現遊びを発表します。
ご家族も参加して、ゲームや運動をし、楽しい一日を過ごします。

////////////////////////// 年間行事 ///////////////

Nursery School Events / Main Events

クリスマス会　Christmas Party

Christmas at the nursery school is not religious.
They will present plays and songs that they have worked on in class, and they will all play together.

保育園でのクリスマスは宗教的なものではありません。
クラスで取り組んだ劇や、歌を発表したり、みんなで遊んだりします。

おもちつき　Making Rice Cake

They will make rice cakes to eat on the happy New Year. We steam glutinous rice and make rice cakes using pestle and mortar.

お正月というおめでたい日に食べるお餅をつくります。もち米を蒸して杵と臼を使ってお餅を作ります。

節分　Setsubun Events

On February 3, it is a Japanese event to sow beans and say "Happiness is inside, demon is outside" to get rid of evil. They eat beans as many as the age, wish for health and happiness.

２月３日に、邪気を取り払うために「福は内、鬼は外」といって豆をまく日本の行事です。歳の数だけ豆を食べ、、無病息災、幸福を願います。

ひなまつり　Hina-Matsuri Events

March 3rd is Hina-Matsuri,
They decorate dolls and have fun playing while celebrating the healthy growth of children.

３月３日はひな祭りです。
ひな人形を飾り、こどもたちの健やかな成長をお祝いしながら楽しく遊びます。

お誕生日会　Birthday Party

They celebrate children's birthday. They make fun and play with their friends and present cards to their birthday friends.

子どもたちのお誕生日をお祝いします。出し物をしたり、お誕生日を迎えるお友達にカードをプレゼントしたりして、楽しく遊びます。

生活発表会　School Recital

They will perform the games and songs they have practiced so far in front of everyone.
Parents will also see the results of their hard work in their usual nursery school life.

今まで頑張って練習した、お遊戯や歌を皆の前で発表します。
保護者の方たちにも、普段の園生活で頑張った成果を見てもらいます。

3 宗教の問題

宗教上の理由により、クリスマス会に参加できない保護者がいます。日本は、八百万の神・神道が根づく国のためか、色々な宗教の神に対してとても寛容です。クリスマスを祝った翌週に神社で初詣をしている人も多くいます。しかし、一神教であるキリスト教、イスラム教、ユダヤ教の方たちは、ひとつの神のみを認めて信仰しています。クリスマスはイエス・キリストの誕生を祝う祭ですので、イスラム教やユダヤ教の信者はお祝いしないのです。

他にも、宗教絡みの理由で、絶対に食べさせてはいけないものもあったりします。例えばイスラム教は豚肉を食べることが禁じられており牛豚合いびき肉を使用したハンバーグや、豚肉エキスの入った豚骨スープなども口にすることができません。豚肉と同じお皿に載っているほかのお料理すら食べてはいけないケースもあります。他のお肉もハラルという方法で処理されたものしか食べることができないので、子どもにも同じ対応が必要な場合があります。

また、多くの宗教の戒律にあるアルコールは、醤油などのアルコール成分の入っている調味料も使用できない場合があり、調理方法や調味料の原料においても配慮が必要です。

園では、外国人の家族がどのような信仰を持っていて、行事への参加は可能なのか等、文化の違いによる疑問をひとつずつ解決していく必要があります。入園時に確認した際に、園行事で宗教にふれるものがあった場合には特に気を付けて対応します。なかでもクリスマス会やひな祭りなどに参加しない子どもがいますが、行事は発表会を兼ねている場合も多く、練習時にその子の保育をどうするかが問題となります。

宗教の自由を受け入れるのはもっともなことですが、クリスマス会で歌う歌の練習をしている時に一人だけ参加させなかったり、逆に練習だけ参加して当日は参加しない……という状況は外国人の子どものみならず周りの子どもも、なかなか理解できることではありません。信仰や宗教に反していると思われる行事の場合には、どのような形でどの程度までなら参加できるのか、歌う歌など細かな内容についてもきちんと説明をして話し合います。

また、詳細については練習が始まる前に保護者と話し合い、行事の中でどのような活動を行うのか、前日までの予定、当日の予定までしっかりと確認をします。その上で、保護者の妥協点を探りながら子どもも保護者も納得できるように数パターンの選択肢を設けることも大切です。

////////////////　音楽の時間を活用しましょう　///////////////

乳幼児が心を寄せ合える活動のひとつに、音楽があります。
言語を使わずにコミュニケーションを取れる音楽活動は、乳幼児の教育にもとても取り入れやすく、世界共通の教育活動となっています。
また、日本で歌われている童謡には海外から入ってきた曲が多く、外国人の保護者にも伝わりやすい側面があります。そういう意味でも、音楽は言葉の壁を越えるコミュニケーション手段です。

音楽は、保育者参加型の保育参観等で保護者同士の壁を取り払う手段にもできますし、各国の民謡や童謡を活用して、フォークダンスやダンスを組み込むことも可能でしょう。工夫次第で、フレキシブルなコミュニケーションツールとなり得ます。

音楽の持つリズムは心を穏やかにしたり、楽しくさせたりもします。日本に慣れない子どもや保護者が園に来るのが楽しくなり、より皆が仲良くなるための方法を保育に取り入れる事も大切なことです。

////////////// 海外から来た馴染みの深い音楽 //////////////

フランス民謡

クラリネットを壊しちゃった

アヴィニョンの橋の上で

イギリス民謡

ロンドン橋

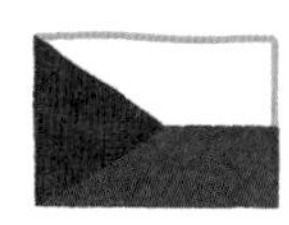

チェコ

手をたたきましょう

ヨーロッパ各国

いとまきのうた

幸せなら手をたたこう

イスラエル・ユダヤ民謡

マイム・マイム

アメリカ民謡

大きな古時計

森のくまさん

アルプス一万尺

線路はつづくよどこまでも

4　保護者同士のコミュニケーション

外国人の保護者は、言葉の壁のせいで他の保護者との付き合いにとても消極的になってしまうことがよくあります。園についての情報が不足した状態で入園してくる外国人の保護者にとっては、保育者は最も頼れる相談相手です。

多文化子育てネットワーク第二回多文化子育て調査報告書によると、外国人の保護者は育児の相談相手として1番に配偶者、次に保育者を挙げており、友人や両親よりも保育者を頼りにし、重要な相談相手として考えていることが伺えます。

まずはできるだけ保育者から話しかけるようにして、日本人と会話をすることに慣れてもらいましょう。その間は保護者同士の関係について立ち入り過ぎず、気を配る程度にしておきます。慣れてきたら、保護者での会合時に少人数で話す機会を作り、コミュニケーションが取れるよう促していくなどの配慮が必要です。

わからないことを相談し合ったり、保護者主催のイベントで母国の文化を取り入れた企画を提案するなど、他の保護者と関わり合いを持つ機会を増やす配慮も必要です。チャンスさえあれば外国人の保護者と関わりたいと思っている保育者も多く、コミュニケーションが取れるようになります。

今度の交流会
楽しみですね！

アリスはチーズの種類
について話してくれる
みたいなんだけど、
山田さんは何話すの？

保護者同士が仲良くなれる機会
を作るとよいでしょう。

5 具体的対応事例

ここでは、実際に起きた園でのトラブル、対応の事例を紹介していきます。事例は、実際の園で起きたことをご報告いただいたものです。
同じようなトラブルが起きた際の参考にしてみてください。

困ったこと事例

「母国語を話せるように」「母国語が使えなくならないように」との家庭の方針で、家庭では一切日本語を使わず会話をし、子どもが戸惑い落ち着かないことが続く。

対 応

言葉を習得していく時期で、どちらの言語を使うのがよいのか戸惑っている様子でした。園では日本語を使って会話をするようにしましょうということを何度も言い聞かせました。ほかの園児たちと会話をする機会を沢山つくることを心掛けました。日本語の習得がうまくいかない時期には歌の時間でコミュニケーションをとるようにしました。

その後…

園では日本語で会話をするようになり、本人の気持ちも落ち着いてきたように見受けられます。しかし、保護者は他の中国国籍の子どもと仲良くさせたいとの意向があり、保護者の考えに沿っているかはわからないです。保護者の理解を得られるようにするのは、今後の課題だと思います。

困ったこと事例

子どもはある程度日本語を理解していますが母親がほぼ通じません。そのせいか、持ち物や提出物などを伝えても、忘れ物が目立ちます。急ぎの物など伝えても、時差が生じて期限が過ぎてしまうことがよくあります。体調面(病気)のこともどこまで理解しているか不安です……。

対　応

母親より父親の方が日本語を理解しているのようなので父宛てにメモ書きを渡すようにしました。また、急ぎの用事のある時は父親に直接電話するようにしています。何事も早めに伝言するように取り組んでみました。

その後…

父親から母親に伝わるまで時間を要してしまい、子どもには不自由な思いをさせてしまうことがまだ起きています。とはいえ、毎日父親に電話するわけにもいかず、対応を考えています。身の回りの忘れ物に関してできるだけ園でフォローし、代替えのもので対応していることが現状です。

今後の対策として…

導入が可能なのであれば、翻訳アプリなどの利用ができるとよいと思います。
お互いノンストレスで伝言し合える環境の取り組みができるようになりたい。
特に病気のことは翻訳機により改善できるのではないかと思います。

困ったこと事例

宗教上「牛」を使用した食材を摂取することができません。
牛肉を給食として提供することはありませんが、市販のカレールーやスープの素などは“牛エキス”を含んでいるため使用できません。

対 応

チキン・ポークエキスは摂取可能とのことだったので、牛エキスの含んでいないものを代替えとして使用することにしました。万が一摂取してしまった時のことを考慮し、両親に承諾書として一筆書いてもらいました。

その後…

現在に至るまで、調理師と栄養士の十分な配慮により、牛エキスを含んだ食材を提供することなく済んでいます。今後も十分に気を付けていきたいと思います。

今後の対策として…

世界にはさまざまな宗教の習慣があるので、今後の受け入れの際、各国の文化などを知っておくことは大切なことだと思いました。日本人には想像できない風習などがあるので、どこまで受け入れが可能かが考慮すべき点になると思います。園内でも十分に話し合って、方針の共有をしていきたいと思います。

困ったこと事例

母親が園行事への理解を示してくれません。
園児は途中入園で、入園後すぐに保育参観がありました。出席の回答を求めたところ、急に怒り出してしまいました。

対　応

園としての方針を伝えるとともに、たくさん話すことで理解を得られるようにしました。また、園児を通して保護者とも積極的にコミュニケーションをとり、他方面からの信頼関係を築くことを心がけました。

その後…

仕事優先の考え方のようで、なかなか理解を得られませんでした。その後の園行事には何度か参加してもらえましたが、普段話しかけても良い反応が返ってくることは少なく、距離を縮めることができませんでした。2歳～３歳クラスに進級してまもなく、姉の通う園に入園枠が空いたとのことで、転園されました。

今後の対策として…

今後は「相手を理解すること」「相手を受け入れること」から始め、少しづつ日本の文化や、考え方、やり方を伝えていけるとよいと思いました。園と母親との関係で、子どもに影響が現れないか気を付けることもとても大切だと思いました。
逆の立場であったら……。
不安を抱えて母国から遠く離れた日本で生活し、日本への理解も深めていないのかもしれないと思いました。しっかりと対応していきたいと思いました。

困ったこと事例 ❶

降園の際に帰りたがらず、何十分も玄関ホールにいることがあります。
保護者が一緒に帰ろうとしても、「嫌だ！ 帰りたくない！」と言って叫んだり、騒いだりして全く帰ろうとしない日が続きました。

対 応

「どうしたの？」と声を掛け、理由を聞きました。
話を聞いて受け止め、時折帰れるように誘ったり、靴下・靴を履く・上着を着るなどの帰り支度の手伝いをしました。

その後…

何日か続くこともありましたが、徐々に減っていきました。

困ったこと事例 ❷

他児と大きな差はないのですが、話をしている時に伝わらないことがよくあります……。

対 応

わかりやすい言葉を選び、伝えるように気を付けました。

その後…

家庭での言語が違うので、両親が言語を教えることはできません。わかりやすい言葉を選んで伝えることは現在も気を付けており、今後も継続していきます。

困ったこと事例

生活習慣の違いからか、二人ともピアスをしてきます。

対　応

母親が日本語を少し理解できるので、日本の文化についても触れ、近隣の小学校でも中学校でもピアスを禁止している話、そのため園でもピアスをすることを禁止していることを説明すると理解が得られ、すぐに外してくれトラブルにもなりませんでした。

そ の 後…

近頃は、保護者との言葉のやり取りに苦慮することは少なくなりましたが、考え方の違いを感じることは多々あります。ピアスの事例もそのひとつで、0歳の子がピアスをしていたのには驚きました。ひとつずつ丁寧に説明するように心がけて日々を過ごすようにした結果、行き違いもなくスムーズに過ごせることも多くなりました。外国人の方々が園のルールを理解し、協力しようとしてくださる姿勢が増えたように思います。

困ったこと事例 ❶

父親は母国語のみしか話せませんし、母親はひらがなで日本語を読むのが精いっぱいの理解力で、意思の疎通ができません。台風シーズンに休園となった際の説明にとても困りました。

対　応

台風のことをうまく理解してもらえず、国際交流センターから電話で説明してもらいました。

そ の 後…

大切なことは前もって国際交流センターの方から連絡してもらうようにしていますが、保育に関して困ることも多いです。翻訳機の導入を検討しています。

困ったこと事例 ❷

言葉の習得時期に２か国語の生活となるためか、気持ちが安定せず意思表示が感情的になったり、力で表現しようとしたりすることが多いです。また、月齢も高く体格も大きいため力が強く、低月齢の子には危険がおよぶことがあります。

対　応

できるだけ保育士がそばにつくようにし、心の安定を図るようにしました。

そ の 後…

言葉が少しわかるようになるにつれて、みんなとも仲良くできるようになってきました。保育士ができるだけそばにつくようにすることは、今後も続けていこうと思います。

困ったこと事例

母親は日本語でのやり取りができるのですが、自分の意見を押し付けることが多く、我が子とコミュニケーションをとるために、ポルトガル語を勉強するように言ってきます。園の決まりへの理解が得られず、送迎の時間、食事、体調管理などに関して、母国でのやり方を通してきます。

対 応

園の方針と決まりを、細かく説明しました。
保育では、日本語での保育をすることについても細かく説明しました。

その後…

はじめのうちは、なかなか日本の文化を理解するのが難しいように見受けられました。
自己主張が強いのは今も変わりませんが、園での方針に理解を示してもらえるようにはなったかと思います。根気強い説明と時間が必要なのだと思いました。

今後の対策として…

保育園の決まり等は、入園時にしっかりと説明することが大切だと思いました。次年度の入園案内時に外国人の子どもがいた場合は特に入念に説明しなければいけないと思います。登園時間や昼食の時間、お昼寝の時間なども国が違えば理解するのが難しいこともあります。そのあたりのお互いの考えている「普通」を話しあっておくことが、入園後のトラブル防止になると思いました。

CHAPTER 3 ｜ 外国人増加傾向の現状

2019年6月時における中長期在留者数は2,511,567人、特別永住者数は317,849人で、これらを合わせた在留外国人数は2,829,416人となり、前年末に比べて98,323人(3.6%)増加。過去最高となりました。

男女別では、女性が1,442,015人（構成比51.0%）、男性が1,387,401人（構成比49.0%）となり、それぞれ増加しました。

また、2013年6月時における在留外国人数は2,049,123人で、うち0-6歳未満児は93,162人（構成比4.5%）だったのに対し、2019年6月時における在留外国人は2,829,416人、うち0-6歳未満児は127,346人（構成比4.5%）となり、6年間で36.7%増、34,184人の増加となりました。

2013年6月での在留外国人数は2,049,123人で、うち0-6歳未満児の各年齢内訳数

総　数			0歳		1歳		2歳	
	男	女	男	女	男	女	男	女
2,049,123	932,611	1,116,512	6,609	6,170	7,515	6,884	7,458	6,882

3歳		4歳		5歳		6歳	
男	女	男	女	男	女	男	女
6,812	6,441	6,649	6,522	6,663	6,454	6,206	5,897

2019年6月での在留外国人数は2,829,416人で、うち0-6歳未満児の各年齢内訳数

総　数			0歳		1歳		2歳	
	男	女	男	女	男	女	男	女
2,829,416	1,387,401	1,442,015	8,421	7,834	9,781	9,079	9,996	9,547

3歳		4歳		5歳		6歳	
男	女	男	女	男	女	男	女
9,351	9,023	9,656	9,035	9,233	8,660	9,122	8,608

（2019年6月　総務省在留外国人統計（旧登録外国人統計））

1　在留外国人の内訳

1. 在留外国人の内訳

ここでは、日本の在留外国人を国籍別、在留許可証別、地域別に見ていきます。

国籍別

上位10か国・地域のうち、増加が顕著な国籍・地域としては、ベトナムが371,755人（対前年末比40,920人（12.4%）増）、インドネシアが61,051人（同4,705人（8.4%）増）となっています。

(1)	中　国	786,241人	(構成比27.8%)	(+ 2.8%)
(2)	韓　国	451,543人	(構成比16.0%)	(+ 0.4%)
(3)	ベトナム	371,755人	(構成比13.1%)	(+12.4%)
(4)	フィリピン	277,409人	(構成比 9.8%)	(+ 2.3%)
(5)	ブラジル	206,886人	(構成比 7.3%)	(+ 2.5%)
(8)	インドネシア	61,051人	(構成比 2.2%)	(+ 8.4%)

（2019年6月　総務省在留外国人統計（旧登録外国人統計））

在留許可証別

在留資格別では「永住者」が783,513人（対前年末比24,374人（3.1％）増）と最も多く、次いで「技能実習」が367,709人(同81,933人（22.2％）増)、「留学」が336,847人(同12,602人（3.7％）増)、「特別永住者」の地位をもって在留する者が317,849人(同8341人（2.6％）減) と続いています。

(1) 永住者　783,513人 (構成比27.6％) (＋3.1％)
(2) 技能実習　367,709人 (構成比12.9％) (＋22.2％)
(3) 留　学　336,847人 (構成比11.9％) (＋3.7％)
(4) 特別永住者　317,849人 (構成比11.2％) (−2.6％)
(5) 技術・人文知識・国際業務　256,414人 (構成比9.0％) (＋17.1％)

（2019年6月　総務省在留外国人統計（旧登録外国人統計））

地域別

在留外国人数が最も多い都市は東京都の581,446人（対前年末比26,393人（4.5%）増）で全国の20.8%を占め、以下、愛知県・大阪府・神奈川県・埼玉県と続いています。

(1) 東京都　581,446人 (構成比20.%) (＋4.5%)
(2) 愛知県　272,855人(構成比9.6%) (＋7.7%)
(3) 大阪府　247,184人 (構成比8.7%) (＋5.4%)
(4) 神奈川県　228,029人 (構成比8.0%) (＋7.0%)
(5) 埼玉県　189,043人 (構成比6.6%) (＋8.0%)

（2019年6月　総務省在留外国人統計（旧登録外国人統計））

2 在留外国人の子どもが通園するまで

1. 在留資格とは

現在、日本へ観光に来るのは簡単なのですが、日本に住むには、どのような目的で住むのかを行政へ申告し、在留資格を認定される必要があります。ここでは、在留資格とはどういったものなのか、在留資格の取得方法、ビザとの違い、在留資格を取得してから、子どもが保育園へ通うまでの流れを説明します。

2. ビザ(査証)

外国人の方が入国するためには、原則として「ビザ(査証)」が必要になります。ビザは、国外にある日本大使館や日本領事館が発給するもので、例えば中国の方が日本へ入国する場合、中国にある日本大使館か日本領事館へ行ってビザを発給してもらうことになります。大使館や領事館では、申請者が持っているパスポートが有効であるかどうかを確認し、申請者が日本へ入国することに支障がないという推薦をします。日本大使館・日本領事館は日本の外務省の管轄ですので、ビザ発給の権限は外務省にあります。

また、ビザが免除されている国もあり、ビザの免除措置国籍の方についてはビザ取得の手続きは必要ありません。

////////////// 68のビザ免除措置国・地域一覧表 //////////////

(2019年9月時点)

アジア	インドネシア
	シンガポール
	タイ
	マレーシア
	ブルネイ
	韓国
	台湾
	香港
	マカオ
北米	米国
	カナダ
中南米	アルゼンチン
	ウルグアイ
	エルサルバドル
	グアテマラ
	コスタリカ
	スリナム
	チリ
	ドミニカ共和国
	バハマ
	バルバドス
	ホンジュラス
	メキシコ
大洋州	オーストラリア
	ニュージーランド
中東	アラブ首長国連邦
	イスラエル
	トルコ
	チュニジア
アフリカ	モーリシャス
	レソト
欧州	アイスランド
	アイルランド
	アンドラ
	イタリア
	エストニア
	オーストリア
	オランダ
	キプロス
	ギリシャ
	クロアチア
	サンマリノ
	スイス
	スウェーデン
	スペイン
	スロバキア
	スロベニア
	セルビア
	チェコ
	デンマーク
	ドイツ
	ノルウェー
	ハンガリー
	フィンランド
	フランス
	ブルガリア
	ベルギー
	ポーランド
	ポルトガル
	マケドニア旧ユーゴスラビア
	マルタ
	モナコ
	ラトビア
	リトアニア
	リヒテンシュタイン
	ルーマニア
	ルクセンブルク
	英国

3. ビザの種類：活動類型資格と地位等類型資格

活動類型資格とは、「在留資格に対応して定められている活動」を行うことによって日本に在留することができる資格です。例えば医師として日本で就職をする外国人は、その方の学歴や職歴などから日本にとって必要な人だと判断された場合に「医療」という在留資格を与えられます。これは医師として日本に在留する許可を与えられたものなので、この資格で飲食店経営をしたりすることはできません。

地位等類型資格とは、「定められた身分または地位を有するものとして日本に在留することができる資格」です。日本人の配偶者、永住者、定住者などがそれにあたります。

4. 在留資格とビザの違い、上陸審査とは？

外国人の方が日本へ入国する際、入国審査官はまずパスポートに滞在目的が記載されたビザを確認します。入国管理局は、ビザに記載の滞在目的に限定して日本に在留するための「在留資格」を発行します。ビザの発給は外務省（日本大使館・日本領事館）ですが、入国審査は法務省（出入国在留管理庁）の管轄ですので、ビザは外務省から法務省へ宛てた在留資格を与えるための推薦状という役割があります。外務省と法務省には、それぞれ独自の審査基準がありますので、ビザがあれば必ず在留資格が与えられるということではありません。

入国時にビザを確認し、在留資格の付与を決める一連の審査を「上陸審査」といい、ビザは入国審査後は無効となります。代わりに在留資格は、日本に外国人が適法に滞在するための資格となります。

VISA
在留カード

5. 在留カード

日本に3か月以上滞在する外国人へは、法務大臣より在留資格を証明する、「在留カード」が交付されます。在留カードには、16歳以上の方の場合は顔写真が表示されており、氏名、生年月日、性別、国籍と地域、居住地、在留資格、在留期間、就労の可否など法務大臣が把握する情報が記載され、証明書としても利用できます。

従来の外国人登録制度では、各自治体が外国人登録証明書を発行していたため、入国管理を遂行する法務省入国管理局との連携が不十分で、不法滞在者へも外国人登録証明書が発行される事態が起きていました。このような事態を受け、在留外国人を入国管理局が総じて管理できるよう、法務省は出入国管理及び難民認定法の改正法で定め、2009年(平成21年)に公布、2012年(平成24年)7月9日に施行され、在留カードの制度が始まりました。2019年4月、法務省入国管理出入国在留管理庁局は、出入国在留管理庁に組織改編したため、現在、在留カードの管理は法務省が業務を行っています。在留カードの交付対象者となるのは、中長期間在留する外国人(中長期在留者)で、具体的には次の①から⑥までのいずれにも当てはまらない人です。

① 「3か月」以下の在留期間が決定された人
② 「短期滞在」の在留資格が決定された人
③ 「外交」又は「公用」の在留資格が決定された人
④ 「特定活動」の在留資格が決定された,亜東関係協会の本邦の事務所(台北駐日経済文化代表処等)若しくは駐日パレスチナ総代表部の職員又はその家族
⑤ 特別永住者
⑥ 在留資格を有しない人

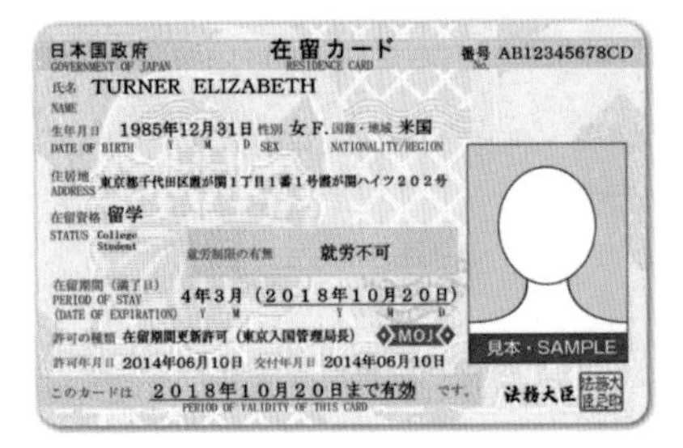

在留資格一覧表

（法務省　出入国在留管理庁　在留資格一覧表（令和元年１１月現在））

在留資格	本邦において行うことができる活動	該当例	在留期間
外交	日本国政府が接受する外国政府の外交使節団若しくは領事機関の構成員，条約若しくは国際慣行により外交使節と同様の特権及び免除を受ける者又はこれらの者と同一の世帯に属する家族の構成員としての活動	外国政府の大使，公使，総領事，代表団構成員等及びその家族	外交活動の期間
公用	日本国政府の承認した外国政府若しくは国際機関の公務に従事する者又はその者と同一の世帯に属する家族の構成員としての活動（この表の外交の項に掲げる活動を除く。）	外国政府の大使館・領事館の職員，国際機関等から公の用務で派遣される者等及びその家族	5年，3年，1年，3月，30日又は15日
教授	本邦の大学若しくはこれに準ずる機関又は高等専門学校において研究，研究の指導又は教育をする活動	大学教授等	5年，3年，1年又は3月
芸術	収入を伴う音楽，美術，文学その他の芸術上の活動（この表の興行の項に掲げる活動を除く。）	作曲家，画家，著述家等	5年，3年，1年又は3月
宗教	外国の宗教団体により本邦に派遣された宗教家の行う布教その他の宗教上の活動	外国の宗教団体から派遣される宣教師等	5年，3年，1年又は3月
報道	外国の報道機関との契約に基づいて行う取材その他の報道上の活動	外国の報道機関の記者，カメラマン	5年，3年，1年又は3月
高度専門職	1号 高度の専門的な能力を有する人材として法務省令で定める基準に適合する者が行う次のイからハまでのいずれかに該当する活動であって，我が国の学術研究又は経済の発展に寄与することが見込まれるもの イ　法務大臣が指定する本邦の公私の機関との契約に基づいて研究，研究の指導若しくは教育をする活動又は当該活動と併せて当該活動と関連する事業を自ら経営し若しくは当該機関以外の本邦の公私の機関との契約に基づいて研究，研究の指導若しくは教育をする活動 ロ　法務大臣が指定する本邦の公私の機関との契約に基づいて自然科学若しくは人文科学の分野に属する知識若しくは技術を要する業務に従事する活動又は当該活動と併せて当該活動と関連する事業を自ら経営する活動 ハ　法務大臣が指定する本邦の公私の機関において貿易その他の事業の経営を行い若しくは当該事業の管理に従事する活動又は当該活動と併せて当該活動と関連する事業を自ら経営する活動	ポイント制による高度人材	5年
	2号 1号に掲げる活動を行った者であって，その在留が我が国の利益に資するものとして法務省令で定める基準に適合するものが行う次に掲げる活動 イ　本邦の公私の機関との契約に基づいて研究，研究の指導又は教育をする活動 ロ　本邦の公私の機関との契約に基づいて自然科学又は人文科学の分野に属する知識又は技術を要する業務に従事する活動 ハ　本邦の公私の機関において貿易その他の事業の経営を行い又は当該事業の管理に従事する活動 ニ　2号イからハまでのいずれかの活動と併せて行うこの表の教授，芸術，宗教，報道，法律・会計業務，医療，教育，技術・人文知識・国際業務，介護，興行，技能，特定技能2号の項に掲げる活動（2号イからハまでのいずれかに該当する活動を除く。）		無期限
経営・管理	本邦において貿易その他の事業の経営を行い又は当該事業の管理に従事する活動（この表の法律・会計業務の項に掲げる資格を有しなければ法律上行うことができないこととされている事業の経営又は管理に従事する活動を除く。）	企業等の経営者・管理者	5年，3年，1年，4月又は3月
法律・会計業務	外国法事務弁護士，外国公認会計士その他法律上資格を有する者が行うこととされている法律又は会計に係る業務に従事する活動	弁護士，公認会計士等	5年，3年，1年又は3月
医療	医師，歯科医師その他法律上資格を有する者が行うこととされている医療に係る業務に従事する活動	医師，歯科医師，看護師	5年，3年，1年又は3月
研究	本邦の公私の機関との契約に基づいて研究を行う業務に従事する活動（この表の教授の項に掲げる活動を除く。）	政府関係機関や私企業等の研究者	5年，3年，1年又は3月
教育	本邦の小学校，中学校，義務教育学校，高等学校，中等教育学校，特別支援学校，専修学校又は各種学校若しくは設備及び編制に関してこれに準ずる教育機関において語学教育その他の教育をする活動	中学校・高等学校等の語学教師等	5年，3年，1年又は3月
技術・人文知識・国際業務	本邦の公私の機関との契約に基づいて行う理学，工学その他の自然科学の分野若しくは法律学，経済学，社会学その他の人文科学の分野に属する技術若しくは知識を要する業務又は外国の文化に基盤を有する思考若しくは感受性を必要とする業務に従事する活動（この表の教授，芸術，報道，経営・管理，法律・会計業務，医療，研究，教育，企業内転勤，介護，興行の項に掲げる活動を除く。）	機械工学等の技術者，通訳，デザイナー，私企業の語学教師，マーケティング業務従事者等	5年，3年，1年又は3月
企業内転勤	本邦に本店，支店その他の事業所のある公私の機関の外国にある事業所の職員が本邦にある事業所に期間を定めて転勤して当該事業所において行うこの表の技術・人文知識・国際業務の項に掲げる活動	外国の事業所からの転勤者	5年，3年，1年又は3月
介護	本邦の公私の機関との契約に基づいて介護福祉士の資格を有する者が介護又は介護の指導を行う業務に従事する活動	介護福祉士	5年，3年，1年又は3月
興行	演劇，演芸，演奏，スポーツ等の興行に係る活動又はその他の芸能活動（この表の経営・管理の項に掲げる活動を除く。）	俳優，歌手，ダンサー，プロスポーツ選手等	3年，1年，6月，3月又は15日

在留資格	本邦において行うことができる活動		該当例	在留期間
技能	本邦の公私の機関との契約に基づいて行う産業上の特殊な分野に属する熟練した技能を要する業務に従事する活動		外国料理の調理師，スポーツ指導者，航空機の操縦者，貴金属等の加工職人等	5年，3年，1年又は3月
特定技能	1号	法務大臣が指定する本邦の公私の機関との雇用に関する契約（入管法第2条の5第1項から第4項までの規定に適合するものに限る。次号において同じ。）に基づいて行う特定産業分野（人材を確保することが困難な状況にあるため外国人により不足する人材の確保を図るべき産業上の分野として法務省令で定めるものをいう。同号において同じ。）であって法務大臣が指定するものに属する法務省令で定める相当程度の知識又は経験を必要とする技能を要する業務に従事する活動	特定産業分野に属する相当程度の知識又は経験を要する技能を要する業務に従事する外国人	1年，6月又は4月
	2号	法務大臣が指定する本邦の公私の機関との雇用に関する契約に基づいて行う特定産業分野であって法務大臣が指定するものに属する法務省令で定める熟練した技能を要する業務に従事する活動	特定産業分野に属する熟練した技能を要する業務に従事する外国人	3年，1年又は6月
技能実習	1号	イ 技能実習法上の認定を受けた技能実習計画（第一号企業単独型技能実習に係るものに限る。）に基づいて，講習を受け，及び技能等に係る業務に従事する活動	技能実習生	法務大臣が個々に指定する期間（1年を超えない範囲）
		ロ 技能実習法上の認定を受けた技能実習計画（第一号団体監理型技能実習に係るものに限る。）に基づいて，講習を受け，及び技能等に係る業務に従事する活動		
	2号	イ 技能実習法上の認定を受けた技能実習計画（第二号企業単独型技能実習に係るものに限る。）に基づいて技能等を要する業務に従事する活動		法務大臣が個々に指定する期間（2年を超えない範囲）
		ロ 技能実習法上の認定を受けた技能実習計画（第二号団体監理型技能実習に係るものに限る。）に基づいて技能等を要する業務に従事する活動		
	3号	イ 技能実習法上の認定を受けた技能実習計画（第三号企業単独型技能実習に係るものに限る。）に基づいて技能等を要する業務に従事する活動		法務大臣が個々に指定する期間（2年を超えない範囲）
		ロ 技能実習法上の認定を受けた技能実習計画（第三号団体監理型技能実習に係るものに限る。）に基づいて技能等を要する業務に従事する活動		
文化活動	収入を伴わない学術上若しくは芸術上の活動又は我が国特有の文化若しくは技芸について専門的な研究を行い若しくは専門家の指導を受けてこれを修得する活動（この表の留学，研修の項に掲げる活動を除く。）		日本文化の研究者等	3年，1年，6月又は3月
短期滞在	本邦に短期間滞在して行う観光，保養，スポーツ，親族の訪問，見学，講習又は会合への参加，業務連絡その他これらに類似する活動		観光客，会議参加者等	90日若しくは30日又は15日以内の日を単位とする期間
留学	本邦の大学，高等専門学校，高等学校（中等教育学校の後期課程を含む。）若しくは特別支援学校の高等部，中学校（義務教育学校の後期課程及び中等教育学校の前期課程を含む。）若しくは特別支援学校の中学部，小学校（義務教育学校の前期課程を含む。）若しくは特別支援学校の小学部，専修学校若しくは各種学校又は設備及び編制に関してこれらに準ずる機関において教育を受ける活動		大学，短期大学，高等専門学校，高等学校，中学校及び小学校等の学生・生徒	4年3月，4年，3年3月，3年，2年3月，2年，1年3月，1年，6月又は3月
研修	本邦の公私の機関により受け入れられて行う技能等の修得をする活動（この表の技能実習1号，留学の項に掲げる活動を除く。）		研修生	1年，6月又は3月
家族滞在	この表の教授，芸術，宗教，報道，高度専門職，経営・管理，法律・会計業務，医療，研究，教育，技術・人文知識・国際業務，企業内転勤，介護，興行，技能，特定技能2号，文化活動，留学の在留資格をもって在留する者の扶養を受ける配偶者又は子として行う日常的な活動		在留外国人が扶養する配偶者・子	5年，4年3月，4年，3年3月，3年，2年3月，2年，1年3月，1年，6月又は3月
特定活動	法務大臣が個々の外国人について特に指定する活動		外交官等の家事使用人，ワーキング・ホリデー，経済連携協定に基づく外国人看護師・介護福祉士候補者等	5年，3年，1年，6月，3月又は法務大臣が個々に指定する期間（5年を超えない範囲）

在留資格	本邦において行うことができる活動	該当例	在留期間
在留資格	本邦において有する身分又は地位	該当例	在留期間
永住者	法務大臣が永住を認める者	法務大臣から永住の許可を受けた者（入管特例法の「特別永住者」を除く。）	無期限
日本人の配偶者等	日本人の配偶者若しくは特別養子又は日本人の子として出生した者	日本人の配偶者・子・特別養子	5年，3年，1年又は6月
永住者の配偶者等	永住者等の配偶者又は永住者等の子として本邦で出生しその後引き続き本邦に在留している者	永住者・特別永住者の配偶者及び本邦で出生し引き続き在留している子	5年，3年，1年又は6月
定住者	法務大臣が特別な理由を考慮し一定の在留期間を指定して居住を認める者	第三国定住難民，日系3世，中国残留邦人等	5年，3年，1年，6月又は法務大臣が個々に指定する期間（5年を超えない範囲）

6. 住民基本台帳登録

在留資格を持ち、日本に生活の根拠があれば住民基本台帳登録の適用対象者となります。外交官等の一部の方を除いては、どの市区町村であっても基本的には住民基本台帳登録を行い、住民票を発行できることが、子どもを認可保育園へ通園させることのできる条件となります。

日本国の発行するビザは現在27種類ありますが、就労できる資格、できない資格、永住権の有無に関わらず、日本に滞在する目的のある人(在留資格所持者)の子どもであれば園に通うことができます。

住民基本台帳登録の適用対象者は、日本の国籍を有しない人のうち、次の表の左欄に掲げる方で市町村の区域内に住所を有する人が対象者となります。

日本へ入国・在留する外国人が年々増加していること等を背景に、外国人住民に対し基礎的行政サービスを提供する基盤となる制度の必要性が高まりました。そこで、外国人住民についても日本人と同様に、住民基本台帳法の適用対象に加え、外国人住民の利便の増進及び市区町村等の行政の合理化を図るための、「住民基本台帳法の一部を改正する法律」が、在留カード制度と時期を同じくして、第171回国会で成立し、2009年(平成21年)7月15日に公布、2012年(平成24年)7月9日に施行されました。

この法律により、外国人住民に対して住民票が作成され、翌年2013年(平成25年)7月8日から、住民基本台帳ネットワーク(住基ネット)及び住民基本台帳カード(住基カード)についても運用が開始されました。

住民基本台帳制度では、外国人住民の方も、別の市区町村へ引越しをする際には、転出の届出を居住地の市区町村にて行うとともに、転入の届出を新たに居住地の市区町村にて行い、海外に引越しをする際にも転出届が必要となりました。

////////////// 住民基本台帳制度の適用対象者 //////////////

①中長期在留者 （在留カード交付対象者）	我が国に在留資格をもって在留する外国人であって、3月以下の在留期間が決定された者や短期滞在・外交・公用の在留資格が決定された者等以外の者。 改正後の入管法の規定に基づき、上陸許可等在留に係る許可に伴い在留カードが交付されます。
②特別永住者	入管特例法により定められている特別永住者。 改正後の入管特例法の規定に基づき、特別永住者証明書が交付されます。
③一時庇護許可者 または仮滞在許可者	入管法の規定により、船舶等に乗っている外国人が難民の可能性がある場合などの要件を満たすときに一時庇護のための上陸の許可を受けた者（一時庇護許可者）や、不法滞在者が難民認定申請を行い、一定の要件を満たすときに仮に我が国に滞在することを許可された者（仮滞在許可者）。 当該許可に際して、一時庇護許可書又は仮滞在許可書が交付されます。
④出生による 経過滞在者または 国籍喪失による経過滞在者	出生又は日本国籍の喪失により我が国に在留することとなった外国人。入管法の規定により、当該事由が生じた日から60日を限り、在留資格を有することなく在留することができます。

7. 保育料

保育料については日本国籍を持つ保護者と同じ基準で、前年の収入を母国で取得している場合には、母国での収入証明をもとに自治体が保育料を決定します。2019年10月より実施された、子ども・子育て支援新制度に基づく支援の対象は、日本国籍の有無、戸籍・住民登録の有無にかかわらず、当該市町村での居住の実態があれば、米軍基地内に居住する場合を含め対象としています。幼児教育・保育の無償化についても、この考え方が変わるものではありませんので、外国人の子どもや米軍基地内の子どもも無償化の対象となります。

DOWNLORD ｜ 書式集ダウンロード

本書では、外国人の保護者に園のことを理解してもらうため、本文中にいくつかのテンプレートを挙げて解説させていただきました。

本文で使用していますデータはそのまま㈱チャイルド社ホームページよりダウンロードしてご活用いただけます。テンプレートはすべてwordにて作成していますので、各園での事情に合わせて修正してお使いいただけるようになっています。

各様式はA4サイズに収まるように作成してあります。記入スペースが狭い場合にはB4あるいはA3、複数ページに変更してご活用ください。

項目等についても園によって、ご用意していますテンプレート内容とは異なってくるかと思いますので、内容にあわせて変更・追加をお願いいたします。

テンプレートは日本語と英語にて表記していますが、英語以外の言語にしたい場合はwordの校閲機能で変換が可能です。次ページにwordの校閲機能について解説していますので、ご活用ください。

////////////////// ダウンロード書式一覧 /////////

入園のしおり ………… p19-21
個人調査票 ………… p22-24
登降園等調査票 ………… p25
家庭から園への連絡カード ………… p26-27
緊急性の高い言語 ………… p31
一日の流れと詳細 ………… p37
年間行事 ………… p38-39

各種書式は、以下チャイルド社のホームページからダウンロード可能です。

http://www.child.co.jp/book/downlord.html

Wordの翻訳機能の使い方

❶

翻訳したい文書を開き、校閲タブの言語をクリックします。

言語→翻訳→選択範囲の翻訳（選択範囲を翻訳する場合）もしくは、ドキュメントの翻訳（文書全体を翻訳する場合）を選択します。

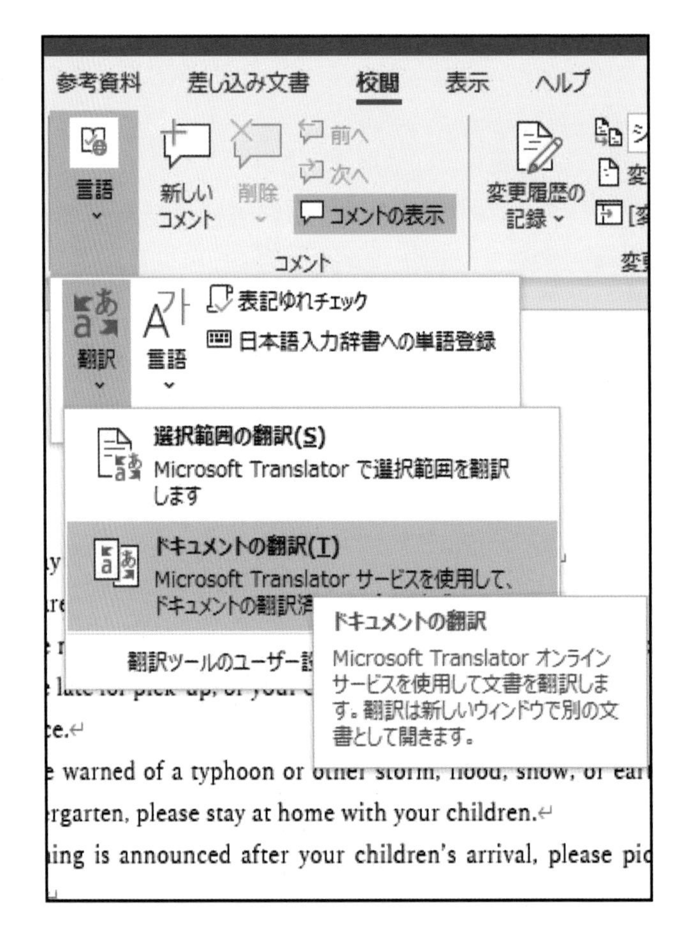

❷

①選択範囲の翻訳を選択した場合

word画面の右側に翻訳ツールが表示されます。
選択範囲の翻訳を選択した場合は、選択範囲の翻訳内容が表示されます。翻訳先の言語も自由に選択することができます。

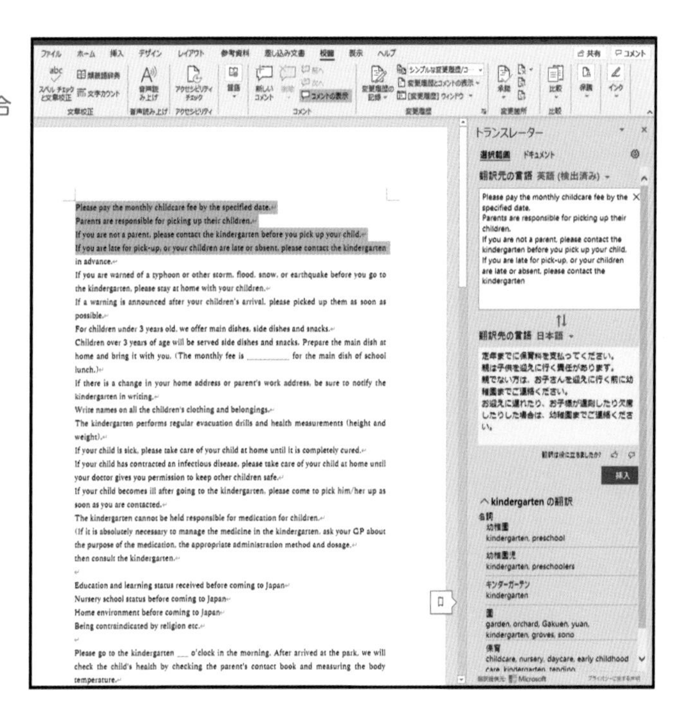

②ドキュメントの翻訳を選択した場合

ドキュメントの翻訳を選択した場合は、翻訳された文書が新規文書として作成され、そのまま保存すれば翻訳された別文書が作成されます。
言語は希望する言語に指定できるので、必要に応じて選択言語を変更してください。

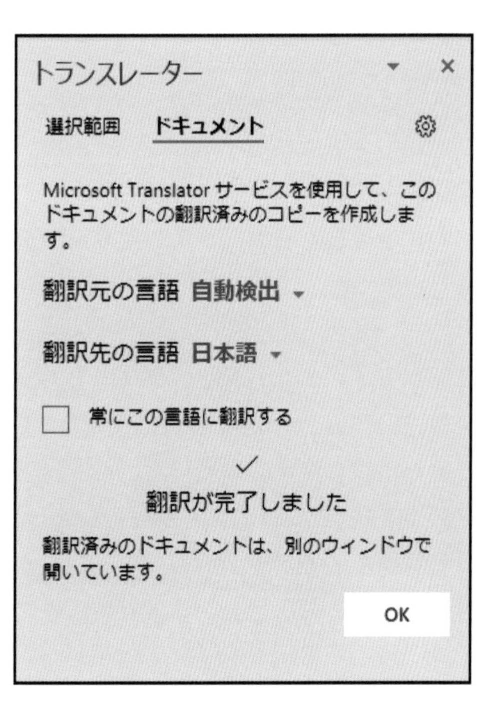

POSTSCRIPT ｜ あとがき

日本で暮らす外国人が増加するなか、文部科学省は2019年6月17日、外国人家庭の子どもたちを対象にした教育面での総合対策を取りまとめました。
日本語指導や進学面のサポートの充実が柱となり、幼稚園や保育園の就園から留学生の就職まで、切れ目のない支援で日本社会への定着を後押しするとのことです。

外国人人材の受け入れを拡大する改正出入国管理法が2019年4月に施行され、一部で家族の帯同も可能とされました。近年、小中高校の現場では日本語の指導が必要な児童生徒が増え続けており、体制整備の遅れが指摘されています。文科省からは、『「全ての外国人の子どもに教育機会が確保されるよう取り組む」とし、小学校への就学案内を徹底するとともに、幼稚園や保育園の「就園ガイド」も多言語で作成する』との発表がありました。
その他、対象者の年齢を問わず、地域での日本語教育の体制も拡充し、日本語教室がない地域向けには、インターネットを使って自主学習できる14言語対応の教材を開発するとしています。

大勢の外国人が日本の企業等で働いている間、保育園がこれらの外国人の子どもを受け入れ、日本の子ども同様あたたかく保育することは、保護者が安心して働くための大きな役割を果たしています。そういう意味でこれは、国際貢献のひとつと言えるでしょう。

日本の子どもたちにとっても、幼い頃に外国人の子どもたちと一緒に生活することは、国際人に育つ良い機会となります。保育者にとっても、異なる文化に歩み寄ることで自身の文化の見直しと、多くを学ぶ機会となります。
その点を見れば、外国籍乳幼児の保育は外国人にとっても日本人にとっても、たいへん有意義なことです。しかし現場では、外国籍乳幼児の保育を巡って多くの問題や課題が浮き彫りになっていることも忘れてはいけません。

外国人の子どもは今後も増え、外国人増加に伴う対策も増えていくことが予想されます。問題が起きても迅速で親切な対応ができるよう、事前の知識の取り込みや、新しい国の施策についても把握していくことが求められるようになります。

国籍という壁を越えて、世界中で子どもを育てていくという意識が必要になってきました。保育においても国際化時代が始まっています。
さまざまな手段が発達しても、人と人との意思疎通のために、保育者は多文化教育を学び、手を取り合って美しく心を寄せ合う姿勢が、今後の保育には必要になっていくのではないでしょうか。

◆ 編著
松本叔子（まつもとよしこ）
作詞·作曲家。保育士。1980年京都市生まれ。
京都ノートルダム女子大学文学部卒業後、㈱NTTグループでの勤務を経て2008年渡仏。ソルボンヌ大学文学部附属フランス語学科課程終了。渡仏中は現地にて欧州での保育を学ぶ。
帰国後、㈲プロデュースマツモト継承、代表取締役に就任。音楽教育による幼児能力の可能性を広げるため、幼児音楽の発展に努める。

どうする！外国人の子ども

2020年3月　初版第1刷発行　　　商品番号8574

企画・監修：（株）チャイルド社　出版·セミナー部
編　著：松本叔子
協　力：社会福祉法人はじめ会　高の葉保育園
社会福祉法人愛和会
（株）三恭 保育園事業部　パピーナ園
デザイン・イラスト：（有）プロデュースマツモト
校　閲：（有）プロデュースマツモト
編　集：（有）プロデュースマツモト

発行者：柴田豊幸
発行所：株式会社チャイルド社
〒167-0052 東京都杉並区南荻窪 4-39-11
TEL 03-3333-5105
http://www.child.co.jp/